NOCHE DE BRUJAS EN LA ISLA DE LOS MONSTRUOS

CLARK ROBERTS

TRADUCIDO POR
GABRIELA REAL

Este libro está dedicado a Angie, Cora y Clark.
Angie, me has dado dos monstruos adorables.
Cora y Clark, pasen las páginas y conozcan a sus monstruos.

1 / SUBIENDO POR ¡EL GRITÓN!

Si pensaba que mi primer viaje en avión había sido emocionante, no sabía lo que me esperaba en mi primera montaña rusa verdadera.

Oh, claro, había estado en montañas rusas para niños. Sabes de lo que estoy hablando, ¿verdad? Esas pequeñas que son apenas más altas que un adulto. Los niños pequeños se suben a ellas y se ríen o gritan como en un maldito asesinato, mientras viaja no más rápido de lo que tú o yo podemos correr. Realmente no son más emocionantes que viajar sobre una colina con tu abuela al volante del automóvil y ella conduciendo leeeento.

De acuerdo, tal vez viajar con tu abuela *da* miedo, pero entiendes mi punto.

Esas montañas rusas para niños no son nada comparadas con *¡El Gritón!*

¡El Gritón! —ese es el nombre de la primera grande, la primera rápida, la primera montaña rusa *verdadera* en la que me subí.

No estaba tan nervioso hasta que el carrito de la montaña rusa comenzó a subir la primera colina. En ese momento, las puntas de mis dedos hormigueaban.

El carrito se sacudió. A continuación, no solo escuché, sino que pude sentir el chasquido a través del piso mientras el carrito se elevaba hacia el cielo.

Clic... clic... clic... más alto... más alto... más alto.

"¡Oh, *Dios* mío!", exclamó Jenny a mi lado. "Jake, no sé si puedo hacer esto".

"Yo tampoco", dije, y traté de tragar la bola de miedo atorada en mi garganta. "Pero en este punto no creo que tengamos otra opción".

Miré a Jenny. Jenny es mi hermana gemela. Parecía tan asustada como yo me sentía. Me miró fijamente. Sus ojos eran tan grandes como platos. Sus manos agarraban la barra de seguridad tan fuerte que sus nudillos se veían blancos.

Clic... clic... clic.

"¡Oigan, chicos!" Ricky y Rebecca llamaron. Ricky y Rebecca son nuestros primos.

Tanto Jenny como yo volteamos.

¡El Gritón! era una montaña rusa de dos pistas con carritos pequeños en cada pista. Había un carrito rojo y un carrito azul, y básicamente el carrito rojo y el azul competían entre sí.

Ricky y Rebecca estaban en el carrito rojo y no parecían ni de cerca tan asustados como yo me sentía. Esto me sorprendió, porque Rebecca es un año más joven que mi hermana y yo, y Ricky tiene solo diez años.

Siempre había pensado que Ricky era pequeño, casi flacucho. En realidad, había hecho trampa y se había levantado de puntillas solo para tener la restricción mínima de altura para *¡El Gritón!* Siempre tiene que llevar a todas partes esos anteojos gruesos que lo hacen parecer aún más joven. Sus anteojos son casi tan grandes como su cara.

Pequeño o no, Ricky realmente parecía que estaba teniendo el mejor momento de su vida. ¡Ni siquiera estaba agarrando la barra de seguridad! En vez de eso, se reía y agitaba las manos sobre su cabeza como un loco. Mi estómago se revolvió solo de ver a Ricky.

"¡Nuestro carrito va a ganar!", nos gritó Rebecca.

"No me importa ganar", Jenny tembló hacia mí. "Solo espero que sobrevivamos".

Más alto... más alto... más alto.

"¡Mira la montaña rusa de allí!", gritó Ricky. Con mis ojos, seguí hasta donde señaló. "Esa se llama *¡El Aullador!* ¡No puedo esperar para montarla esta noche!"

Apenas estábamos a medio camino de la primera colina de *¡El Gritón!* A pesar de la brisa más fuerte a esta altura y de la sensación de frío en mi cuello, mis palmas estaban resbaladizas por el sudor. *¡El Aullador!* Parecía ser el doble de alto que *¡El Gritón!* ¿Cómo iba a reunir el coraje para subir a esa montaña rusa?

Clic... clic... clic... más alto... más alto... más alto.

El carrito pareció ralentizar momentáneamente y recuperarse mientras doblaba y cruzaba la colina.

Mi hermana expresó en voz alta lo que estaba pensando en ese preciso momento.

"¡Creo que venir al *Parque Temático La Isla de los Monstruos* para la Noche de Brujas podría haber sido un error!", gritó.

Una vez más, nos miramos con los ojos muy abiertos.

El carrito avanzó a una velocidad increíble. Mi trasero realmente se levantó del asiento. Mi hermana y yo gritamos como nunca habíamos gritado antes.

"*¡Aaaaahhhhh!*"

2 / PASEANDO EN ¡EL GRITÓN!

EL VIENTO CREADO POR LA VELOCIDAD HACIA ABAJO GOLPEÓ MI cara. Barrió hacia atrás el cabello largo y rubio de mi hermana. Mi estómago dio un vuelco por segunda vez cuando el carrito pasó volando por la curva inferior y salió disparado casi directamente hacia la segunda colina.

El carrito de Ricky y Rebecca tenía una ventaja de unos diez pies. Rebecca se había unido a su hermano menor, ya que también agitaba las manos en el aire.

Para mí, ambos parecían pacientes mentales.

La segunda colina era ligeramente más corta que la primera, pero no menos emocionante.

Jenny y yo seguimos gritando.

"*¡Aaaaahhhhhh!*"

Una cosa graciosa sucedió cuando llegamos a la parte inferior de la colina más pequeña. El carrito se lanzó, inclinado hacia un lado y dobló una curva. La curva le dio a nuestro carrito la pista interior, y pasamos a toda velocidad por delante de nuestros primos.

¿Qué era tan gracioso?, ¡Jenny y yo ya no estábamos gritando; nos estábamos riendo!

"*Aaahhh. ¡Ja-ja-ja-ja-ja!*"

A medio camino del recorrido, ambos carritos redujeron la

4

velocidad en una curva larga y ancha en la parte superior de la pista. Jenny y yo estábamos junto a nuestros primos. "¡Esto es una maravilla!", nos gritó Ricky. "¡Seguro que lo es!", respondí. "¡No puedo creer que tengamos todo el *Parque de los Monstruos* para nosotros esta Noche de Brujas!", gritó Rebecca. "¡Sí! ¡Me alegro de que el tío Victor nos invitara!", le contestó mi hermana.

Con la acción de la montaña rusa ralentizada momentáneamente, aproveché la oportunidad de verlo todo desde esta altura. Mirando alrededor, pude ver innumerables puestos de juegos alineados en el campo principal del parque de diversiones. También pude ver una gran rueda de la fortuna que representaba al monstruo de Frankenstein en los lados, un paseo de serpiente marina que se asemejaba a los barcos piratas oscilantes, teleféricos y otras cuatro o cinco montañas rusas monstruosas.

¡Lo mejor de todo es que no había gente! El tío Victor nos invitó a mis dos primos, a mi hermana y a mí. Había cerrado todo el parque al público en la Noche de Brujas solo para nosotros. ¡Eso significaba que no habría filas en toda la noche! Cuando quisiéramos pasear, podríamos subir directamente a *¡El Aullador!* Me estaba divirtiendo mucho en *¡El Gritón!* ¡Ahora no podía esperar para subir a *¡El Aullador!*

Esto es bastante genial, pensé.

"¡Vamos a ganar!", gritó Ricky, rompiendo mi trance. El carrito rojo se lanzó hacia abajo por otra colina, cortando la línea siguiente de Ricky antes de que pudiera terminar. "Yupi por NOCHE DE BRUJAAaaaaaa..."

Medio segundo después, mi hermana y yo también estábamos bajando la colina y terminando el tramo final de *¡El Gritón!*

Para cuando los carritos se sacudieron, desaceleraron y regresaron a la posición de partida original, el carrito de Rebecca y Ricky estaba nuevamente a la delantera. Habían ganado la carrera.

Eso estuvo bien. El paseo había sido divertido, tan divertido que realmente no me importaba.

A mi lado, Jenny se reía tan fuerte que resoplaba. Esto me hizo reír aún más.

"¡Deja de resoplar como un cerdo!", le dije. "¡Estás haciendo que me duelan las costillas!"

Nuestros primos deben haber pensado que era muy gracioso, porque ellos también comenzaron a reírse a carcajadas.

Entonces todos escuchamos a una quinta persona riendo.

Espera, ¿qué? Solo éramos cuatro.

No, no riendo, era más como la risa de una bruja.

¡*Era* una bruja!

Estaba vestida con un atuendo negro holgado. Incluso llevaba un sombrero negro puntiagudo. Su cara era verde viscoso y su nariz era un pico ganchudo. Estaba de pie justo en la cabina del operador, lista para tirar de una palanca.

"*¡Niños, parece que ustedes se están divirtiendo mucho!*", chilló la bruja. "*Vamos otra vez, pero esta vez la subiremos a... ¡VELOCIDAD DE BRUJAAAAA!*

Se rio aún más locamente.

Mis primos, mi hermana y yo gritamos al unísono: "*¡Nooooo!*"

Demasiado tarde. La bruja soltó su carcajada malévola, incluso más fuerte esta vez.

Jaló de la palanca hacia abajo, y supe que me esperaba el paseo de mi vida.

6

3 / HABLANDO DEL DR. JEKYLL Y EL SR. HYDE

"SOLO ESTOY BROMEANDO", DIJO LA BRUJA, Y SU CARCAJADA SE convirtió en una risa humana. Para mi alivio, los carritos de la montaña rusa se detuvieron por completo. El paseo había sido muy divertido, pero seguro que no quería experimentar la velocidad de bruja, cualquiera que fuera.

Mi corazón latía tan rápido y tan fuerte que podía escucharlo en mis oídos. En el instante siguiente se ralentizó, porque esta no era una bruja real en absoluto; simplemente era la señorita Penny vestida como una.

La señorita Penny era la anfitriona que mi tío Victor había enviado al aeropuerto para que nos recogiera a mis primos, a mi hermana y a mí. La señorita Penny incluso había estado disfrazada en el aeropuerto. Siendo Noche de Brujas y todo eso, también había otras personas disfrazadas, así que no parecía tan tonta.

La señorita Penny nos ayudó a todos con nuestras mochilas y luego nos llevó al Lago Michigan.

Jenny y yo somos de Texas. Rebecca y Ricky viven en Montana. Ninguno de nosotros había estado nunca en Michigan visitando a nuestro tío Victor. Nunca habíamos visto una costa en un lago tan grande como el Lago Michigan. Por supuesto, siendo de Texas, mi hermana y yo hemos nadado en el Golfo de México —es incluso más grande que el Lago Michigan— pero el Golfo de México es parte del océano. Queríamos nadar en el Lago Michigan, pero la señorita Penny nos dijo que en octubre el agua era demasiado fría para nadar.

Luego, la señorita Penny nos guio a un transbordador —que es solo un barco que lleva a la gente a lugares— y tuvimos un paseo en barco de veinticinco minutos hasta *La Isla de los Monstruos*.

"Muy bien, chiquillos", dijo la señorita Penny, "realmente necesitamos movernos. Su tío probablemente se estará preguntando por qué tardamos tanto".

Jenny y yo pusimos los ojos en blanco. No soportamos que los adultos nos digan cosas como 'chiquillos'. Para ser honesto, ni siquiera estaba seguro de si la señorita Penny podía considerarse una adulta.

Nos desabrochamos los cinturones y salimos de los carritos. Caminando por la rampa de salida de *¡El Gritón!*, le pregunté a la señorita Penny qué edad tenía.

"Tengo veintidós años", respondió.

"Debe de ser genial trabajar en un parque de diversiones", dijo Ricky.

"Está...bien, supongo", respondió la señorita Penny. "Quiero decir, no es el trabajo de mis sueños ni nada por el estilo. Estoy en la universidad, así que trabajo aquí durante los meses de verano y los fines de semana hasta que cierra por el invierno".

"¿Es cierto que nuestro tío es dueño de toda la isla?", preguntó Jenny.

"Sí", dijo la señorita Penny. "La única forma de entrar o salir es en uno de esos transbordadores que tomamos. Bueno, en esos y en el helicóptero privado que posee el señor Victor".

Esto simplemente fue asombroso para mí. Sabía que mi tío era rico, solo no sabía que tan rico era.

¿Tan rico como para tener un helicóptero privado? Supongo que cuando tienes una isla entera y diriges uno de los parques temáticos más grandes del país en ella, puedes hacer una fortuna.

"Todos a bordo", dijo la señorita Penny cuando llegamos a 'los cuatro hombres lado a lado'. El lado a lado es un tipo de carrito grande. Este tenía neumáticos grandes y una cara en bloque bastante familiar con cejas desarregladas y una mueca pintada en el cofre. La señorita Penny lo llamó el carrito Franken. Ricky y Rebecca tomaron la parte de atrás. Fue un ajuste apretado, pero Jenny y yo nos acomodamos en la parte de enfrente con la señorita Penny.

"¿Es agradable nuestro tío?", le pregunté a la señorita Penny, antes de que pudiera despegar.

"¿Agradable?", se encogió de hombros. Giró la llave y el carrito Franken cobró vida antes de quedarse inactivo con un gruñido bajo pero uniforme. "Puede ser estricto con sus trabajadores. Para ser honesta, quería que los llevará directamente a su casa antes de que se subieran a cualquiera de los juegos. Puede que no esté contento conmigo por dejarlos subirse a *¡El Gritón!* tan temprano".

"Lo sentimos", dijo Jenny.

"Si", Rebecca estuvo de acuerdo desde atrás. "No queríamos meterla en problemas cuando le suplicamos subirnos a *¡El Gritón!*"

"Estoy segura de que estará bien", dijo la señorita Penny. Nos alejamos, dirigiéndonos por la calle principal del *Parque Temático La Isla de los Monstruos*. "No quiero que tengan una impresión equivocada. Me refiero a que su tío es lo suficientemente amable como para invitarlos a los cuatro y dejarlos tener solo para ustedes *La Isla de los Monstruos* esta noche. Créanme, lo sé por haber trabajado aquí el año pasado, la noche de Noche de Brujas puede generar mucho dinero para su tío".

"Entonces, ¿por qué parece nerviosa?" pregunté.

"Se suponía que los llevaría a su casa hace quince minutos. Su tío es agradable y todo, pero también tiene este lado diferente en él. Es como el Dr. Jekyll y el Sr. Hyde. ¿Alguna vez han escuchado del Dr. Jekyll y el Sr. Hyde?"

4 / UNA FIGURA EN LAS SOMBRAS

"¡Conozco a esa persona!", gritó Ricky emocionado desde el asiento trasero. Ricky, con solo diez años, aún disfrutaba impresionando a los adultos cuando tenía conocimiento de algo. Ricky sabía mucho sobre personajes de terror y monstruos. "¡Lo he visto en las caricaturas e incluso leí un libro sobre él! Una versión para niños, por supuesto".

"¿Por qué dices *él*?", preguntó mi hermana, volviéndose hacia Ricky. "La señorita Penny dijo el Dr. Jekyll y el Sr. Hyde, como si fueran dos personas. ¿Por qué lo dices como si fuera solo una?"

"Porque en realidad es solo una", dijo Ricky. Se inclinó hacia adelante así que su rostro apareció a la vista en los asientos delanteros. "El Dr. Jekyll, una persona buena, bebe una poción y se transforma en el Sr. Hyde, una persona malvada". Los ojos de Ricky eran grandes e intensos detrás de sus anteojos. Me di cuenta de que le gustaba hablar de cosas aterradoras.

"Eso ni siquiera es posible", dijo Jenny.

"Es una historia inventada, así que técnicamente ambos tienen razón", dijo la señorita Penny, cortando a Ricky para que no se convirtiera en una discusión. La señorita Penny miró a Jenny y le guiñó un ojo. "Lo que quise decir es que su tío Victor puede ser muy, muy amable un momento y luego muy, muy estricto en el siguiente".

11

Para mí, eso sonaba justo como casi todos mis maestros anteriores.

Había escuchado del Dr. Jekyll y el Sr. Hyde, pero ciertamente no era el experto en el campo del horror que Ricky parecía ser. Estaba pensando en cómo había descrito Ricky al Sr. Hyde.

...bebe una poción y se transforma en el Sr. Hyde, una persona malvada.

Sabía que sonaba ridículo, pero de repente me di cuenta de lo solos que estábamos en *La Isla de los Monstruos*, de lo *aislados* que estábamos y, sobre todas las cosas, era Noche de Brujas —la noche que se suponía que iban a salir todas las cosas aterradoras.

¡Estábamos aquí en *La Isla de los Monstruos* sin nuestros padres!

Mis padres nos habían visto a Jenny y a mí salir del aeropuerto de Texas. Nos habían abrazado, besado y saludado mientras subíamos al avión. Era el primer viaje que hacía sin uno de mis padres. Había estado tanto emocionado como nervioso. Obviamente, mamá y papá confiaban en el tío Victor. Después de todo, el tío Victor era hermano de papá.

Pero realmente, ¿qué tan bien conocían al tío Victor?

No pensé que pudieran conocer al tío Victor mejor que la señorita Penny, que trabajaba para él y lo veía casi a diario. Ella acababa de llamarlo Dr. Jekyll y Sr. Hyde.

Cuanto más pensaba en las personas que se transforman en cosas malas, más frío se sentía el aire otoñal de Michigan mientras corríamos en el carrito Franken.

Miré a un lado hacia una cabina portátil que estábamos pasando rápidamente. Decía que vendía Orejas de Monstruo, pero las fotos decorativas se parecían a las orejas de elefante de hojaldre con mucha azúcar espolvoreada que había comido en la feria de Texas.

Ciertamente me estaba dando hambre, pero eso no fue lo que me llamó la atención.

Había una figura desplomada como si estuviera jorobada.

Estaba cerca de la cabina y en las sombras. Encorvado así, parecía más monstruo que humano.

Sabía que era él.

El Sr. Hyde —*una persona malvada*.

5 / EL SEÑOR TERROR

"¿Quién es ese?", gritó Rebecca desde el asiento trasero. Había estado callada desde que se subió al carrito Franken. Señaló al hombre que yo ya había notado. "¿Quién es *ese* tipo de aspecto loco?"

Ahora todos voltearon sus cabezas.

"¡Hola, niños!" El hombre saltó de las sombras y gritó cuando pasamos junto a él.

Grité. Al igual que mi hermana y Rebecca.

Parecía jorobado porque en realidad estaba encorvado sobre una escoba grande barriendo la tierra del pavimento. El hombre estaba vestido con un overol gris. Estaba sonriendo, aunque no estaba seguro. Era más bien una mueca, una mueca *malévola*, y tenía los ojos entornados como si estuviera pensando en algún plan tortuoso.

Ricky le gritó: "¡Hola, quienquiera que seas!"

Ricky podría ser el más joven, pero seguro que estaba demostrando ser uno de los más valientes.

"Solo es uno de los trabajadores de su tío", se rio la señorita Penny. "Ayuda a mantener los terrenos limpios y arregla los juegos cuando se descomponen. Tal vez no deberíamos hablar de personajes aterradores como el Dr. Jekyll y el Sr. Hyde. Parecen un poco asustados".

14

Giré en mi asiento para ver al hombre mientras se desvanecía en la distancia.

"No se preocupen por el señor Terror", continuó la señorita Penny. "Lo veremos por ahí esta noche mientras paseamos, pero en realidad su nombre es lo más aterrador de él".

"*¡Señor Terror!*", exclamó Ricky. "¡Qué nombre tan genial!"

Ciertamente yo no pensaba que fuera muy genial.

Las cosas se calmaron bastante. Apostaría a que Jenny y Rebecca estaban experimentando el mismo silencio nervioso que yo. También apostaría a que Ricky estaba silencioso con emoción anticipada.

Pronto llegamos al final del parque temático *La Isla de los Monstruos*. La señorita Penny condujo el carrito Franken por un camino de tierra que serpenteaba en un bosque. Los árboles se amontonaban cerca del camino y las sombras oscurecían el mundo.

Podría haber alguien escondido en este bosque, pensé. *Podría haber alguien o algo.*

Una vez más, sentí el frío otoñal de Michigan.

"Su tío Victor construyó su casa a media milla del parque", dijo la señorita Penny. "Supongo que es más una mansión que una casa. Será mejor que le avise por radio que ya casi llegamos".

La señorita Penny metió la mano en uno de los compartimentos y sacó un dispositivo manual de radio bidireccional. Apretó un botón y esperó por el pitido. En el walkie-talkie, dijo: "Señor V.... ¿está escuchando? Cambio". El radio emitió un zumbido estático antes de que una voz profunda y ronca respondiera. "*Aquí estoy, señorita Penny. Por supuesto que estoy aquí. La verdadera pregunta es —¿dónde están?, ¿Dónde están mis sobrinos? ¡Sabe que tengo...planes para ellos! Cambio*".

"Estaremos ahí pronto", respondió rápidamente la señorita Penny. La vi tragar saliva con fuerza. Todavía estaba vestida como una bruja, pera ya no daba miedo en absoluto. De hecho, comenzaba a parecer asustada. "Me disculpo por llegar tarde, señor V., sin embargo, sus invitados realmente querían subirse en *¡El Gritón!* Cambio".

El walkie-talkie emitió estática antes de que respondiera la voz del tío Victor. "*¿Mis invitados? Son mucho más que mis invitados. Son mis sobrinos. Son Familia*". Su voz pareció calmarse y pude entender lo que la señorita Penny quería decir con una personalidad del Dr. Jekyll y el Sr. Hyde. Como para reforzar mi pensamiento, el tío Victor soltó sobre las ondas: "*¡Se suponía que estarían aquí hace más de veinte minutos!*" Esta vez, el tío Victor ni siquiera se molestó en decir *cambio*.

"Lo sé, señor V.", respondió la señorita Penny, casi suplicando. "Pero querían subirse a una montaña rusa. Como usted dijo, son sus sobrinos y son tan lindos y adorables. Son personas perfectas... justo como su tío. Cambio".

Me di cuenta de que la señorita Penny estaba adulando a mi tío cuando dijo que éramos perfectos justo como él. Normalmente, no creo que sea bueno ser falso con la gente, pero en este momento tenía sentido. Cuando el tío Victor habló a continuación, estaba muy tranquilo.

"Oh, ¿por qué no lo dijo antes? Espero que se la hayan pasado espléndido en ¡El Gritón! *¿Qué dicen, niños?, ¿*¡El Gritón! *fue divertido?"*

Antes de presionar el botón del walkie-talkie, la señorita Penny nos miró y susurró, "Será mejor que estén emocionados. Parece que está de buen humor, así que mantengámoslo así".

¿De buen humor? ¡El tío Victor había sonado completamente aterrador! No podía entender cómo debía de ser cuando realmente estaba molesto.

Usando los dedos, la señorita Penny contó... uno... dos... tres.

Presionó el botón de 'hablar'.

Gritamos tan fuerte como pudimos: "¡YEEEEEYYYYY!"

Me sentí como un niño del jardín de niños, gritando de esa manera.

El tío Victor parecía muy complacido cuando dijo: *"Bien, bien. Pero* ¡El Gritón! *No es nada comparado con* ¡El Aullador! *Esperen a que se suban a ese. ¡La pasarán excelente* aullando!"

"¡Me han dicho que están super emocionados de subirse a *¡El Aullador!"* La señorita Penny reconoció. "Estamos subiendo el camino en este momento".

Rodeamos una curva. El bosque se despejó. El césped magníficamente verde se inclinaba cuesta arriba. La casa —o mansión— más grande que jamás había visto, estaba encaramada cerca de la cima de la colina.

"Tráelos directamente al patio trasero", dijo el tío Victor. *"Tenemos*

la cena preparada afuera. Espero que tengan hambre. En realidad, espero que estén muriendo *por comer algo".*

"¡Santo Dios!, susurró Jenny. "¿Han visto este lugar?" Yo *estaba* viendo el lugar. No le respondí a mi hermana. Me quedé sin palabras.

El camino de tierra se transformó en un camino suave pavimentado a medida que nos acercábamos. La mansión tenía al menos cuatro niveles diferentes. No había forma de contar cuántas ventanas había en total, pero todas estaban oscuras.

"¿En verdad el tío Victor vive solo aquí?", preguntó Jenny.

"No durante la temporada abierta", explicó la señorita Penny. Sonreía detrás de su cara de bruja pintada. "Cada uno de los trabajadores del *Parque Temático La Isla de los Monstruos* obtiene aquí una habitación para quedarse. En este momento, la mansión está mayormente vacía. La Noche de Brujas suele ser nuestro último fin de semana abierto antes de que su tío cierre el parque hasta la próxima primavera. Este año cerró una semana antes por ustedes — vagos afortunados".

"¿Así que supongo que *nos* vamos a quedar en la mansión?", preguntó Rebecca desde el asiento trasero.

"Sí", respondió la señorita Penny. "Tenemos habitaciones preparadas para ustedes".

Esta mansión era tan enorme que era intimidante. Si alguna vez había una mansión embrujada, tenía que ser este lugar. Ricky debe haber leído mis pensamientos, porque parecía complacido por la posibilidad de que estuviera embrujada.

"¡Increíble!", dijo Ricky. "¡Espero que haya fantasmas! ¡No puedo esperar para ver un fantasma! ¡Voy a cazar fantasmas!"

"No lo creo", dijo la señorita Penny. "Nunca he visto un fantasma adentro, y honestamente creo que su tío tiene toda la noche dedicada para que ustedes se diviertan en el parque de diversiones".

El camino atravesó momentáneamente un túnel completo de arbustos podados. Cuando digo completo, quiero decir que incluso en la parte superior, los arbustos se habían convertido en un dosel.

"¡BUUUUUUU!" Ricky probó su mejor imitación de fantasma mientras pasábamos por el túnel oscuro y frío.

"Basta", se quejó Rebecca.

Yo no me quejé, pero también quería que Ricky se detuviera.

Después de salir del túnel, la señorita Penny condujo el carrito Franken por el camino que serpenteaba hasta el patio trasero. No era tan extenso como el de enfrente, pero aun así era bastante grande.

"¡Miren la cancha de baloncesto!", dije.

"¡Sí, y la piscina!", dijo Jenny.

Efectivamente, cerca del final del césped había una cerca negra metálica que rodeaba una piscina.

"Probablemente hace demasiado frío para nadar", dijo Jenny, y miró a la señorita Penny.

"Probablemente no haga demasiado frío en la piscina cubierta del señor V.", dijo la señorita Penny casualmente. "Si se divierten, pero se portan bien, apuesto a que los dejará nadar mañana".

"¡Piscina cubierta!", exclamó Rebecca, aturdida de emoción. Aplaudió. "¿El tío Victor también tiene una piscina cubierta?"

"¡Espero que haya una criatura como la Cosa del Pantano en la piscina!", dijo Ricky, tan emocionado como su hermana.

No sabía lo que era la Cosa del Pantano y, para ser honesto, no quería saberlo. Solo podía imaginarme algo grande, verde y cubierto de escamas y suciedad. La Cosa del Pantano tendría pies palmeados, ojos saltones y garras por manos.

La Cosa del Pantano también olería —¡olería peor que una flatulencia!

La señorita Penny se acercó a una mesa larga instalada en el patio. Sobre la mesa fueron colocados manteles decorados con esqueletos, hombres lobo y vampiros. Mi estómago gruñó cuando vi las bandejas llenas de sándwiches. El hombre sentado al final de la mesa se puso de pie cuando nos detuvimos.

Era alto. Tenía una expresión ilegible. También llevaba un parche en el ojo que cubría su ojo izquierdo y envolvía su cráneo.

Se parecía al tío Victor que había visto en las fotos, pero seguro que no recordaba el parche en el ojo. Por supuesto que el parche me pareció aterrador.

"¡Tío Victor!", gritó Ricky y salió corriendo del carrito Franken. Corrió y le dio un abrazo al hombre.

El resto de nosotros nos amontonamos. Cuando Ricky abrazó al tío Victor, la expresión sombría y espeluznante en la cara del tío Victor se rompió. El tío Victor se alegró de repente. Levantó a Ricky del suelo y lo balanceó en un círculo de abrazos.

"¿Qué le pasó a tu ojo?", preguntó Ricky.

"Lo perdí", dijo el tío Victor.

"¿Cómo lo perdiste?", preguntó Ricky.

"Fui atacado por un hombre lobo que estaba escondido en este mismo bosque", dijo el tío Victor. Se paró y agitó la mano hacia el bosque que rodeaba el patio trasero. "¡Un hombre lobo saltó de detrás de un árbol y me arañó la cara!"

8 / SÁNDWICHES DE GUNKA Y UNA JARRA DE SANGRE DE MONSTRUO

"¡GENIAL!", GRITÓ RICKY. "¿PUEDO IR A CAZARLO? ¡QUIERO cazar fantasmas! ¡Quiero cazar vampiros! ¡Quiero cazar hombres lobo!"

"¿P-p-p-perdiste tu ojo por un h-h-hombre lobo?", tartamudeé.

"¿Es realmente cierto?", preguntó Jenny. Sonrió e inclinó la cabeza.

"¿Esto te parece lo suficientemente real?" El tío Victor se acercó a Jenny. Inclinándose a su nivel, la estudió antes de levantarse el parche del ojo.

Todos jadeamos de forma audible.

Sorprendida, Jenny retrocedió un paso.

El tío Victor realmente solo tenía un ojo. La piel alrededor de donde debería haber un segundo ojo se había convertido en una herida en forma de estrella. El tío Victor dejó que el parche volviera a su lugar.

"¿Fue realmente por un hombre lobo, o solo estás bromeando?", preguntó Rebecca. Miró alrededor con cautela hacia el bosque circundante.

"Tal vez fue un hombre lobo y tal vez no lo fue", dijo el tío Victor. "Todo es parte del misterio de *La Isla de los Monstruos.* Ahora, ¿quién está listo para unos sándwiches de gunka?"

"¿Qué es gunka?", preguntó Jenny.

"Gunka es lo que hay en el interior de los monstruos", contestó el tío Victor.

"¡Quieres decir como tripas de monstruo!", exclamó Ricky.

"Claro que sí", dijo el tío Victor. De nuevo, se inclinó al nivel de Jenny. Su único ojo comenzó a temblar. Con un pulgar, imitó abrir el estómago de mi hermana rápidamente. "¡A veces los abrimos y hacemos comida con sus entrañas! ¿Qué te parece eso?"

"Asqueroso", dijo Jenny.

"Una vez más", respondió el tío Victor, "*gunka* podría ser un código de monstruo para la mantequilla de maní con mermelada".

"¡Bien!", dije, lanzando un puño al aire. La mantequilla de maní con mermelada siempre ha sido mi favorita.

"Aaaahhh", refunfuño Ricky. Dejó caer la cabeza. "Esperaba comerme parte de un monstruo".

"No te preocupes", dijo el tío Victor de manera alentadora. "Tendrás a tu monstruo de postre".

Ante esto, Ricky alzó las manos en el aire y vitoreó.

Nos sentamos a la mesa y tomamos rebanadas de sándwiches con entusiasmo. Mi estómago gruñía de hambre, ya que no había comido nada desde que nos recogieron en el aeropuerto.

Curioso, separé el pan, solo un poco. La mermelada, si pudiera creer que era realmente mermelada, era verde y grumosa. Era incluso más verde viscoso que la cara maquillada de bruja de la señorita Penny. El sándwich se parecía a lo que podría ser el interior de un monstruo si lo abrieras.

A ambos lados de mí, Jenny y Rebecca estaban igual de recelosas. De hecho, estaban olfateando las rebanadas que habían agarrado antes de morderlas. Por su parte, Ricky ya había metido un trozo triangular en su boca y estaba trabajando en empujar el segundo. Masticaba para vencer al mundo y tragaba enormemente.

"¡Son geniales!", exclamó Ricky. "¿Hay algo para beber?"

"¿Qué tal un poco de sangre de monstruo?", preguntó el tío Victor.

Acababa de reunir el valor para morder mi sándwich. El sándwich era bueno. Me di cuenta de que solo era mantequilla de maní con mermelada. Sospeché que el tío Victor había usado colorante de alimentos para hacerlo verde y hacernos creer que era gunka. Estaba empezando a pensar que el tío Victor era todo un bromista. Quiero decir, después de todo era dueño de un parque de diversiones, así que obviamente sabía cómo divertirse.

"Estaba planeando guardar toda la sangre para los vampiros", dijo el tío Victor, "pero puedo ver que ustedes se están *muriendo* por una bebida".

La señorita Penny salió por la puerta trasera. Había entrado por un minuto. En su mano llevaba una jarra grande. Mis ojos se agrandaron.

¡La jarra estaba llena de sangre!

9 / LO QUE ESCUCHAMOS EN LO PROFUNDO DEL BOSQUE

DE ACUERDO, TAL VEZ NO ERA SANGRE REALMENTE. EL TÍO Victor nunca nos dijo nada diferente, pero seguro que sabía bien. Después de tomar un sorbo de su vaso de plástico, Jenny me dio un codazo.

"Estoy bastante segura de que esto es solo Kool-Aid", susurró en voz baja.

Creo que mi hermana tenía razón, pero cuando le pregunté al tío Victor solo se encogió de hombros juguetonamente.

Comimos muchos sándwiches de *gunka* —crema de maní con mermelada— y bebimos mucha *sangre* —Kool-Aid de cereza.

El tío Victor se recostó en su silla y se frotó la barriga. Preguntó: "¿Quién está listo para el postre?"

"¡Yo lo estoy!", gritó Ricky. "Dijiste que tendríamos monstruos de postre. ¡Quiero comer algunos monstruos!"

"Y comerás monstruos", dijo el tío Victor, sonriendo. Me di cuenta de que estaba muy contento de hacer tan feliz a un niño como Ricky.

Tal vez la señorita Penny no había dicho la verdad sobre el tío Victor. Cierto, era un poco extraño, pero en general parecía agradable y solo nos quería hacer reír.

El tío Victor chasqueó los dedos un par de veces a la señorita

Penny. Dijo: "Señorita Bruja, quiero decir, señorita Penny, vuelva adentro y traiga la bandeja de los postres".

La señorita Penny parecía molesta de que el tío Victor se burlara de ella llamándola Señorita Bruja. Puso los ojos en blanco y suspiró, pero fue adentro.

Estábamos callados mientras esperábamos.

No estaba seguro, pero desde muy, muy lejos en la distancia, me pareció escuchar un aullido.

Era tenue, pero instantáneamente me di cuenta de lo silencioso que estaba todo ahora que nadie estaba hablando. Ni siquiera escuché el gorjeo de un pájaro.

El aullido volvió a sonar, esta vez definitivamente más cerca. No fui el único que lo escuchó.

"¿Qué fue eso?", jadeó Rebecca.

A mi lado, mi hermana temblaba.

Si te soy sincero, de repente sentí frío.

"Es un hombre lobo", dijo Ricky emocionado. "Viene a atraparnos, pero yo lo atraparé primero".

Ricky saltó de su asiento y empezó a correr hacia el bosque. La mano del tío Victor se disparó a una velocidad que no podía imaginar y agarró la parte posterior del cuello de la camisa de Ricky. Los pies de Ricky pedalearon en el aire, suspendido en el aire por el fuerte agarre del tío Victor, pero no iba a ningún lado. Creo que incluso me reí en voz alta de eso.

"Vuelve a sentarte", le dijo el tío Victor a Ricky. "Ni siquiera es de noche todavía. Los hombres lobo solo salen de noche. Lo que están escuchando es solo una brisa".

A la distancia, todos escuchamos el ruido de nuevo. El tío Victor tenía razón; era la tarde, así que no era de noche, y todo lo que sabía sobre los hombres lobo decía que solo cambiaban en las noches de luna llena. No sabía si la luna llena saldría más tarde, pero ciertamente aún no era de noche.

Sin embargo, el ruido aumentó por cuarta vez.

"Ven, es solo el viento", dijo el tío Victor.

No me sonaba a viento, pero si el tío Victor no estaba nervioso, y recuerda, había sido atacado por un hombre lobo en el pasado, entonces pensé que yo tampoco debería estar nervioso.

No debería haber estado nervioso, pero lo estaba.

LA SEÑORITA PENNY SALIÓ LLEVANDO UNA BANDEJA DE PLATA repleta de galletas. Detrás de la señorita Penny, un perro gigante —un san bernardo— la acompañaba. Una capa negra fue atada alrededor del cuello del perro y un sombrero de mago pequeño fue asegurado en la parte superior de su cabeza.

"Todos, conozcan a Harry Rufusdini", dijo la señorita Penny, mientras colocaba la bandeja con galletas.

El perro se veía muy gracioso. También se veía muy amigable. Corrió salvajemente alrededor de la mesa e incluso trató de saltar para lamer la cara de Ricky.

"¡Abajo, Rufusdini! ¡Abajo, ahora!" Tío Victor lo regañó gentilmente. Rufusdini se bajó inmediatamente. Todos nos reímos, porque la lengua de Rufusdini colgaba, dando la impresión de que el perro en realidad nos estaba sonriendo.

"Coman las galletas", nos animó el tío Victor, señalando la bandeja. Espero que no se hayan llenado de tanto gunka y sangre de monstruo que ya no puedan disfrutar unas cuantas galletas".

Agarramos las galletas con entusiasmo. Tenían la forma de todo tipo de monstruos diferentes. Incluso tenían glaseado y caramelos pequeños para hacer los ojos, las narices y las bocas.

Tomé una galleta de zombi, solo que no parecía aterrador. Parecía un zombi divertido. Jenny tomó una galleta de monstruo de algún tipo de reptil; tal vez se suponía que era incluso un dinosaurio. Rebecca mordió una de una mujer vampiro. No me sorprendió, porque sabía que Rebecca planeaba disfrazarse de vampiro para la diversión de la noche. El pequeño Ricky obviamente estaba devorando una galleta de hombre lobo. "*Grrrrr...*", gruñó Ricky, mientras caían migajas de su boca. Aulló, como un lobo. "Au —au —au —*iaaauuuuu!*" Metió la galleta en su boca y tomó otra rápidamente. Masticó ruidosamente y habló mientras comía. "Estas —" *ñam, ñam, ñam,* "son increíbles —" *ñam, ñam, ñam.* "¡Son de mantequilla de maní con chispas de chocolate!"

"Mantequilla de maní, chispas de chocolate y *glaseado*", señaló el tío Victor.

Me detuve a media mordida, bajé la galleta y la evalué inquisitivamente. ¿Todas tenían chispas de chocolate? Tengo una alergia mala al chocolate y no puedo comer nada con chocolate —ni siquiera galletas con chispas de chocolate. Es una especie de fastidio.

"¿Qué sucede, Jake?", me preguntó el tío Victor. Claro, él hizo la pregunta, pero me di cuenta de que estaba ofendido porque no me estaba comiendo la galleta. Me miró fijamente, con su parche en el ojo y todo. Quiero decir, me miró intensamente. Pensándolo bien, no creo que se viera ofendido; se veía enojado.

Sonreí tímidamente. "No puedo comer chocolate debido a una reacción alérgica, así que, si todas tienen chispas de chocolate, no puedo comer ninguna".

"Este es un chocolate casero", respondió el tío Victor. "Sin alergias, garantizado".

"Creo que no debería", dije.

"Cómete la galleta". El tío Victor se puso de pie, presionando las palmas sobre la mesa. Se inclinó y su sombra me envolvió.

"Señor V., si tiene alergia, tal vez —", la señorita Penny comenzó a defenderme.

"¡COMETELA!", rugió el tío Victor, interrumpiendo a la señorita Penny.

Temblando, metí la galleta en mi boca.

"¡AHORA MASTICA!"

Empecé a masticar.

"Eso está mejor", dijo el tío Victor, y así como si nada pareció muy tranquilo. Supongo que ahora entiendo por qué la señorita Penny lo había comparado con el Dr. Jekyll y el Sr. Hyde. "¿Y qué cree que *está* haciendo?" De repente, el tío Victor volvió a sonar molesto. Ahora su único ojo entrecerrado miraba a la señorita Penny.

Todavía masticando, miré a la señorita Penny. Había mordido una galleta que tenía la forma de una bruja por la mitad. Tragó saliva nerviosamente.

"Solo estoy comiendo un poco de postre", dijo la señorita Penny.

"¡No, no, no!", dijo el tío Victor.

Sentí que algo acariciaba mi mano debajo de la mesa. Era Rufusdini. Me sentí mal porque la señorita Penny por alguna razón estaba metiéndose en problemas con mi tío —su jefe— pero también me sentí aliviado por la distracción. Ciertamente no quería tener ningún tipo de reacción alérgica aquí en la *Isla de los Monstruos*. Ahora que el tío Victor no me prestaba atención, escupí la galleta en mi otra mano. La puse debajo de la mesa, y Rufusdini estuvo más que feliz de tragársela.

"Las galletas", el tío Victor continuó regañando a la señorita Penny, "son para nuestros invitados. Deje de ser grosera".

Hice un gran espectáculo al tomar una segunda galleta. Le dije: "Seguro que tienes razón, tío Victor. ¡Estas galletas son increíbles! ¡Me alegra mucho que me hicieras probarlas!"

Pero cuando nadie estaba viendo, también le pasé la segunda galleta a Rufusdini.

Justo entonces, sonó de nuevo el aullido de antes. Esta vez estaba aún más cerca, y la tarde se estaba oscureciendo. Ahora no era tan difícil imaginarse a un hombre lobo.

Rufusdini salió disparado de debajo de la mesa. Ladró salvajemente y corrió en la dirección del aullido.

Llamamos a Rufusdini para que se detuviera, pero el tío Victor nos detuvo.

"Estará bien", dijo el tío Victor con indiferencia. "Ahora que ya comieron el postre, todos deben ponerse sus disfraces de Noche de Brujas para estar listos para una noche llena de terror en *¡EL PARQUE TEMÁTICO LA ISLA DE LOS MONSTRUOS!*"

11 / LA CAÍDA DE LA PERDICIÓN

AL PRINCIPIO NO HABLÉ DENTRO DE LA MANSIÓN DEL TÍO Victor, ni mi hermana ni mis primos. Creo que todos estábamos asombrados de lo enorme y lujoso que realmente era este lugar. No solo eso, sino que estaba muy tranquilo. Espeluznantemente silencioso.

"Cuando el parque está abierto", nos dijo la señorita Penny, "este lugar es una ráfaga de actividad, pero como ya les he dicho, la mayoría de los trabajadores se han ido y no regresarán hasta la próxima primavera. Básicamente, tendrán el control del lugar.

Vaya, pensé, *este sería un lugar genial para jugar a las escondidas*. Parecía que cada pasillo era interminable; posiblemente no podría contar todas las puertas que pasábamos. El tío Victor ciertamente era rico para poder permitirse el lujo de construir un lugar tan elaborado para vivir.

"Sus habitaciones están en el último piso", dijo la señorita Penny. Estábamos pasando una escalera grande y curvada cuando nos miró por encima del hombro con su cara de bruja. "Aunque no se preocupen, tomaremos el ascensor de su tío".

¡Ascensor!

Por supuesto, a la vuelta de la siguiente esquina, la señorita Penny presionó un botón con una flecha apuntando hacia arriba, que estaba empotrado en la pared.

¡Ring!

Dos puertas se abrieron casi en silencio. Esto era más que genial. Quiero decir, obviamente había estado en ascensores, ¡pero nunca había estado en un ascensor en la casa de alguien!

Entramos y las puertas se cerraron decididamente.

"Espero que nadie sea claustrofóbico", dijo la señorita Penny. Presionó el botón del último piso.

"¿Qué significa claustrofóbico?", preguntó Ricky.

"Significa que tienes miedo a los lugares estrechos", dijo Rebecca.

"¡Yo no tengo miedo!", dijo Ricky, pero por primera vez me pareció escuchar un temblor en su voz.

Un zumbido pasó a través de las paredes y del techo. A través de mis pies sentí que el ascensor comenzó a elevarse suavemente.

"El cuarto piso está bastante alto", dijo la señorita Penny. "Pero todos se subieron a *¡El Gritón!* Así que sé que no tienen miedo a las alturas".

El ascensor continuó subiendo. Parecía estar tomando un tiempo increíblemente largo. No podía estar seguro, pero me pareció que el ascensor también había disminuido la velocidad.

De repente, ¡la luz encima de nosotros comenzó a parpadear!

De algún lado, escuché algo que solo puedo relacionar con una falla mecánica.

El ascensor continuó subiendo, pero ahora con sacudidas breves, y luego...

¡Se detuvo!

La luz se apagó por completo. A continuación, comenzó a parpadear, encendiéndose y apagándose a un ritmo.

"¡Oh, no!", gritó la señorita Penny. "Le dije a su tío que esta cosa estaba fallando y que necesitaba que alguien la revisara. ¡Ahora estamos atrapados y no hay un botón de emergencia!"

No quería tener miedo, pero la idea de que nunca saldríamos de ese ascensor me dio escalofríos. Incluso Ricky, el valiente Ricky, estaba asustado. Entre los destellos de la luz, pude ver su cara temblando.

"*¡Bienvenidos a La Caída de la Perdición!*", gritó una voz mecánica. "*¡Están a punto de caer a su perdiciooooonnnnn!*"

Oí que algo crujía y todo lo que podía imaginar era que el cable grueso que levantaba el ascensor se había roto.

Una ráfaga poderosa de viento chocó con mi cara.

El ascensor se estaba cayendo, lo que significaba que *nos* estábamos cayendo.

Estábamos cayendo a nuestra perdición.

"*¡Noooo!*", LLORÉ Y ABRACÉ A MI HERMANA. APRETÉ LOS dientes, esperando que el ascensor se estrellara en cualquier momento a nivel del suelo y nos hiciera añicos a todos.

Jenny gritó casi hasta reventar y me devolvió el abrazo. Mis primos también se estaban abrazando. La luz parpadeaba más rápidamente ahora. Esto era todo. Esta iba a ser nuestra perdición.

Un segundo más tarde la luz se apagó por completo una vez más. El viento dejó de correr en mi cara. Por un milagro, nos detuvimos de alguna manera.

La luz regresó finalmente.

Parpadeé varias veces, al principio sin creer que aún estaba vivo.

"*¿Se divierten, niños?*", nos preguntó la voz mecánica.

"¿Qu-qu-qu-qué pasó?", Tartamudeé.

"*Todo es parte de la diversión aquí en La Isla de los Monstruos*", dijo la voz.

Mi hermana entrecerró los ojos y se asomó a unos agujeros muy pequeños junto a los botones del ascensor. Ahora me resultaba obvio que eran unos altavoces. Con una inspección más cercana, pude ver agujeros pequeños en el suelo y en las paredes laterales, que deben haber sido de donde había sido bombeada la ráfaga de viento para hacer que todo el asunto pareciera tan real —como si realmente hubiéramos estado en caída libre.

"¿Esa es tu voz, tío Victor?", preguntó Jenny.

"*¡Lo es!*", confesó la voz mecánica.

"Eso no fue gracioso", dijo Jenny.

"No fue nada gracioso, señor V.", lo regañó la señorita Penny, respaldando a mi hermana. "Su sobrino Ricky está a punto de llorar".

"¡No, no lo estoy!" Ricky pisoteó con fuerza contra el suelo, pero pude verlo sollozar. No lo culpé. Yo era mayor que él y quería llorar.

"Es una cosa cuando los niños saben que están en un juego", explicó la señorita Penny en voz alta. Imaginé al tío Victor sentado en algún lugar en una silla de cuero viendo una pantalla de video y escuchándola. La señorita Penny continuó: "Pero cuando no están listos para asustarse, es demasiado para ellos. Estos no son sus trabajadores, señor V. Son sus sobrinos".

El ascensor estuvo muy tranquilo por un momento. Entonces la voz de mi tío murmuró desde el altavoz, "*Lo siento. Pensé que sería divertido para ustedes. Pensé que los haría reír. No los asustaré así de nuevo*".

"Está bien, tío Victor", dijo Rebecca. "¡Todavía te amamos a ti y a este viaje a *La Isla de los Monstruos*! Solo déjanos ir a nuestras habitaciones para que podamos ponernos nuestros disfraces de Noche de Brujas".

¡Ring!

Las puertas se abrieron. La señorita Penny nos llevó a cada uno de nosotros a habitaciones separadas donde nos pusimos nuestros disfraces para la noche.

13 / UN ESQUELETO EN MI CAMA

Cuando entré por primera vez en mi habitación para el fin de semana, me quedé con la boca abierta. La habitación era enorme, incluso excesiva. En realidad, ni siquiera era una habitación. Primero, entré en la parte que parecía una sala de estar. Me quedé boquiabierto de incredulidad ante la televisión que estaba empotrada en la pared; la televisión era más como una pantalla de cine pequeña.

Revisé el baño —mi baño personal para el fin de semana. Era más grande que cualquiera de los dos baños de mi casa de Texas. Sin embargo, mientras más lo pensaba, más sentido tenía. La señorita Penny nos había dicho antes que los trabajadores en realidad se quedaban aquí en la casa del tío Victor durante la temporada alta de *La Isla de los Monstruos*. Supongo que quería mantener cómodos a sus trabajadores para que se esforzaran al máximo.

Caminando a través del baño, entré en el dormitorio real.

Había una figura durmiendo en la cama masiva —una figura con un rostro blanquecino y ojos ahuecados. La figura sonreía permanentemente, mostrando filas uniformes de los dientes más grandes que jamás había visto. Esos dientes arqueados en la parte superior como lápidas.

¡Estaba mirando cara a cara a un esqueleto!

El pequeño truco de mi tío no me asustó mucho esta vez. Caminé tranquilamente hacia la pared lateral y encendí la luz del techo. Me acerqué a la cabecera.

Tiré de las mantas y toqué el esqueleto. Lo admito, estaba un poco indeciso de tocar la figura. Quiero decir, no estaba tan asustado, pero tampoco estaba muy seguro de que tanto se podía confiar en el tío Victor. Tal vez *pondría* un esqueleto real en mi cama como una broma.

Agarré y moví un brazo articulado. Por supuesto, como esperaba, el esqueleto era de plástico en lugar de hueso. Lo saqué de la cama y lo coloqué en la esquina. Luego traté de imaginar quedarme dormido más tarde en la noche con el esqueleto mirándome.

¡De ninguna manera!

Lo llevé a la sala de estar y lo apoyé en el sofá de cuero pequeño. Encendí la televisión. El esqueleto era falso y todo, pero me sentí mejor pensando que un programa de televisión lo mantendría ocupado y no queriendo acosarme.

Regresé al dormitorio y desempaqué mi disfraz para la noche. Tenía una túnica azul larga con lunas y estrellas decorándola y un sombrero puntiagudo del mismo color y con las mismas decoraciones. Me puse la túnica. A continuación, coloque la banda elástica de la barba de viejo falsa sobre mis orejas. Coloqué el sombrero puntiagudo sobre mi cabeza y luego regresé al baño.

En el reflejo del espejo, pude ver que parecía real. Siempre me han fascinado los magos, y este era el tercer año consecutivo que me disfrazaba como uno en la Noche de Brujas. Incluso tenía una varita pequeña para llevar conmigo toda la noche.

El impulso de saltar sobre la cama masiva era demasiado. Antes de volver al pasillo donde la señorita Penny estaba esperando, salté sobre la cama y brinqué tan alto como pude. No estoy seguro de cuánto tiempo salté, pero mi respiración era muy pesada cuando finalmente lo dejé. ¡Nunca había estado en una cama que me hiciera subir tan alto!

Todo en la casa del tío Victor era simplemente de lo mejor, y ahora estaba emocionado por el resto de la noche en el *Parque Temático La Isla de los Monstruos*.

La señorita Penny, mi hermana y mis primos me estaban esperando en el pasillo.

"¿Por qué te tardaste tanto?", me soltó Jenny. Es una hermana, así que a veces se hace la lista conmigo.

Ignoré su pregunta y en cambio comenté sobre su disfraz. Dije: "Te ves tan ridícula como una princesa reptil".

"Oye", dijo la señorita Penny, "seamos amables".

"Ella empezó", me quejé.

"¡No lo hice! ¡Tú empezaste tardando tanto!"

"¡No lo hice!", protesté.

"¡Sí lo hiciste!"

"Por Dios", dijo Ricky, con la voz distorsionada detrás de su máscara de hombre lobo, "ustedes suenan como Rebecca y yo".

Eso hizo que Jenny y yo dejáramos de discutir. De todas formas, como la mayoría de nuestras discusiones, había sido insignificante.

"Además", dijo Ricky, "¡creo que el disfraz de tu hermana es genial!"

En el fondo, tuve que admitir que no era un *mal* disfraz en sí.

Cada año, Jenny se disfrazaba de princesa, pero este año quería que fuera un poco más aterrador ya que estábamos en *La Isla de los Monstruos*. Llevaba un traje de reptil verde completo con una cola desmontable. Sobre el traje de reptil llevaba un vestido rosa y brillante. En su cara tenía una máscara de lagarto de plástico, y sobre su cabeza descansaba una diadema adornada con joyas. Me encogí ante eso. No estaba mal para un disfraz de niña.

"Mi estómago está empezando a sentirse un poco raro", gruñó Rebecca.

Rebecca estaba disfrazada de vampiro con una capa y colmillos falsos. Incluso había usado un lápiz rojo de maquillaje para dibujar sangre falsa goteando de las comisuras de su boca. Se había puesto una capa gruesa de maquillaje blanco y su cara era casi tan blanca como el esqueleto falso que habían colocado en mi cama. Se frotó la barriga, luciendo honestamente enferma.

"Bueno", dijo la señorita Penny, "tal vez fueron los sándwiches de gunka. Si tu estómago en verdad está revuelto, probablemente no deberías de comer ninguno de los dulces que serán repartidos en cada juego".

"¡Ja, ja!", se burló Ricky y señaló a su hermana.

"¡Oh, cállate!", dijo Rebecca.

Estaban a punto de entrar en una discusión entre hermanos, así que interrumpí antes de que pudiera llegar más lejos.

"¡Me gusta mucho tu disfraz, Ricky!", exclamé.

No era una mentira. Parecía un hombre lobo con su máscara y su overol. Incluso llevaba guantes peludos con forma de garra.

"*Grrrrr...*" Ricky se acercó y me gruñó, pero su tono era juguetón. Luego aulló y gritó: "Vamos, vamos a divertirnos en serio".

Ricky se separó y lo seguimos abajo. Esta vez, nos saltamos el ascensor y tomamos la escalera ancha y sinuosa.

UNA SEÑAL DE ADVERTENCIA COLGABA DE LA PARED JUSTO AL lado de la escalera. La impresión audaz inclinada y de color rojo fuego decía — ¡Utilice **LA ESCALERA bajo su propio riesgo! ¡EN CASO DE EMERGENCIA, Utilice EL ASCENSOR!**
En caso de emergencia, ¿utilice el ascensor?
Ciertamente, todas las señales de emergencia que había leído en el pasado decían exactamente lo contrario, que durante una emergencia se suponía que uno debía usar la escalera por temor a una falla mecánica. No solo eso, pero en mi opinión, El ascensor del tío Victor era una emergencia a punto de ocurrir.
"¿Qué significa la palabra *riesgo?*", preguntó Ricky. Se quitó la máscara de hombre lobo y la sostuvo a su lado.
"Solo es otra palabra para peligro", respondió la señorita Penny, con mucha indiferencia.
"¿Deberíamos estar nerviosos?", preguntó Rebecca. Aún se frotaba el estómago como si pudiera enfermarse en cualquier momento. "Quiero decir, tan loco como suena, ¿el ascensor es realmente más seguro que la escalera?, ¿Alguna criatura va a saltar sobre nosotros?"
"¡Eso espero!", exclamó Ricky emocionado. Volvió a ponerse

su máscara de hombre lobo sobre su cabeza. "Nadie se preocupe. ¡Ahuyentaré a cualquier monstruo, porque soy un verdadero hombre lobo!" Aulló como loco.

"Eres demasiado lindo", dijo la señorita Penny, mirando a Ricky y riéndose. "Siento decepcionarte Ricky, pero nada va a saltar sobre nosotros. El cartel es solo la forma que tiene su tío Victor para conseguir que la gente use el ascensor, para poder asustarlos con su viaje como lo hizo con ustedes antes".

"¿Así que no hay trucos?", preguntó Jenny.

"Como dije, si usamos la escalera, nada va a saltar sobre nosotros", la señorita Penny nos reconfortó. Comenzó a bajar los escalones y la seguimos.

Los escalones estaban muy empinados. Toda la escalera era ancha y los cuatro niños pudimos caminar de a cuatro con la señorita Penny al frente.

"¿Cuántos pisos tenemos que bajar para llegar al fondo?", pregunté.

"Bueno, la mansión tiene cuatro pisos de altura, y su tío ordenó que los pusiera en el último piso".

Continuamos bajando en silencio. Imágenes en blanco y negro de varios monstruos de películas colgaban intermitentemente en la pared —Drácula, El Hombre Lobo, El Monstruo de la Laguna Negra, La Momia, El Monstruo de Frankenstein. Al estar en tonos blanco y negro en lugar de a color eran mucho más espeluznantes.

Aun así, me sentí aliviado de que estuviéramos tomando la escalera en lugar de volver a subir a la trampa mortal del ascensor. Justo cuando estaba teniendo ese pensamiento feliz, todas las luces parpadearon peligrosamente.

A mi lado, mi hermana gimió.

"¿Qué está pasando ahora?", gimió Rebecca con voz temblorosa.

Las luces se apagaron por completo. Debajo de mí, el escalón en el que estaba colapsó.

Todos los escalones colapsaron y caímos de espaldas con un ruido sordo.

Con las escaleras aplanadas, se creó un gran tobogán. Juro por mi vida que fue el tobogán más empinado del mundo. Para empeorar las cosas, ¡nos desplazamos y chocamos entre nosotros en la oscuridad total!

16 / ESCALERA AL TERROR

C<small>UANDO COMENZAMOS A DESLIZARNOS, SENTÍ QUE UNA MANO</small> peluda se extendía hacia la mía. En mi mente, me imaginé un agujero que se abría en la pared y a un monstruo que me agarraba para llevarme a su guarida oscura. Grité a todo pulmón.

Otro grito se unió al mío y lo reconocí como la voz de Ricky. Entonces recordé los guantes peludos que Ricky se había puesto como parte de su disfraz de hombre lobo. Aliviado de que ningún monstruo me estuviera llevando para comerme como un tentempié, mi grito de terror cambió de enfoque a la velocidad desafiante a la muerte a la que nos deslizamos.

"*¡No me gusta esto! ¡No me gusta esto!*" Escuché chillar a Rebecca desde algún lugar a mi lado. Abajo y abajo y abajo aceleramos en la oscuridad. Nos inclinamos y doblamos. Recordé como la escalera subía y bajaba de una manera sinuosa. Todos gritamos — incluso la señorita Penny.

La oscuridad nos envolvió completamente y no pude ver a mi hermana ni a mis primos. Sin poder ver hacia dónde nos dirigíamos, temí que el tobogán terminará abruptamente y nos estrelláramos contra una pared sólida o algo aún peor, como picos. Apreté los ojos y los dientes, preparándome para algún tipo de final terrible.

Entonces tuve un pensamiento peor.

¿Y si este tobogán no termina? Si solo fuera otra de las bromas de mi tío, ¿no habríamos llegado ya al fondo?

Me imaginé otro agujero abriéndose, una especie de trampilla en el fondo de la escalera, y el tobogán continuando hacia abajo.

Abajo, debajo de la mansión.

Abajo, a un sótano donde siempre estaría frío y húmedo.

El sótano sería donde el tío Victor guardaba a sus monstruos verdaderos.

¡Viajábamos tan rápido que seguro que ya habríamos tocado fondo!

"¡Ojalá hubiéramos tomado el ascensor!", gritó Jenny.

Justo entonces, sentí el tobogán uniformemente suave y nivelado debajo de mí.

¡Ufffff!

Para mi alivio, disparé hacia adelante en lugar de hacia abajo.

Con un brillo deslumbrante, las luces volvieron a encenderse y todos patinamos hasta detenernos. Estábamos al final de la escalera, donde él tío Victor nos esperaba con su parche en el ojo. Después de todo este terror, no había sido más que una broma.

"¿No es mi Escalera al Terror la mejor?", preguntó el tío Victor y sonrió.

17 / SI NO HAY DAÑO, NO HAY FALTA

"¡JA, JA, JA, JA, JA!", SE RIO RICKY, QUITÁNDOSE LA MÁSCARA DE hombre lobo. "¡Eres el mejor, tío Victor! ¡No me asuste ni un poco! ¡Aunque alguien más debe haber estado asustado, ya que necesitó sostener mi mano!"

Puse la boca firme, afinando mis labios. Recordaba que había sido la mano enguantada de Ricky la que había alcanzado la mía en la oscuridad, no al revés. Tal vez *ahora* pensaba que todo era divertido —e incluso yo lo pensaba con el conocimiento de que todos estábamos a salvo— pero había estado asustado al igual que nosotros. Él había sido el que buscaba consuelo, no yo.

"¡Oye!", dijo Rebecca, apuñalando con la mirada a la señorita Penny. "¡Dijo que no había nada que temer!"

"No, no lo hice", respondió la señorita Penny con una sonrisa de complicidad. "Dije que nada iba a saltar sobre ustedes, y nada lo hizo".

"Eso podría ser cierto", dijo mi hermana, "pero dijo que el cártel de arriba solo era una forma en la que nuestro tío hacía que la gente volviera a su ascensor". Se detuvo antes de agregar acusadoramente: "Mintió sobre eso".

"Oh, lo siento", se rio la señorita Penny. Podía decir por su tono que no había sido mala intencionalmente, sino que en realidad había pensado que todo había sido divertido. "Supongo

47

que la *Escalera al Terror* de su tío es demasiado para ustedes. Recuerdo la primera vez que me hicieron la broma y pensé que mi corazón estaba a punto de detenerse. Realmente lo siento si eso fue demasiado". Luciendo genuina con su disculpa, se inclinó al nivel de mi hermana. "¿Me perdonas?"

"Supongo". Mi hermana se encogió de hombros.

"Sé que fue aterrador", dijo la señorita Penny, ahora mirándonos como si evaluara que ninguno de nosotros había sufrido ningún daño real, y ninguno lo había hecho. La señorita Penny mostró una sonrisa amistosa que parecía disculparse y parecía preguntar —*¿si no hay daño, no hay falta?* La señorita Penny continuó: "Los sustos son realmente parte de la diversión aquí en *La Isla de los Monstruos*. Además, es Noche de Brujas, ¿verdad?"

Jenny se ablandó y se rio.

Todos estuvimos de acuerdo, "Sí".

La tensión abandonó la habitación.

Quiero decir, nos habían prometido una Noche de Brujas de atracciones divertidas, sustos y dulces, y hasta ahora la isla de nuestro tío no nos había decepcionado.

"¡Se acerca la hora de las brujas!", declaró el tío Victor. Aplaudió ruidosamente. Todos nos enderezamos, volviendo nuestra atención hacia él. "No más demoras, señorita Penny. Es hora de que guie a los niños a través de una noche divertida y llena de miedo en *La Isla de los Monstruos*".

18 / PERSEGUIDOS POR EL BOSQUE

EL TÍO VICTOR BOSTEZÓ, ALEGANDO QUE SE IBA A ACOSTAR temprano. Ciertamente no parecía tan cansado, mucho menos agotado. Cuando bostezó por segunda vez, no pude evitar pensar que lo fingió.

"La señorita Penny sabe cómo operar todas las atracciones, así que ella será una guía maravillosa", dijo el tío Victor. "Una cosa, señorita Penny, es posible que desee mantener a los niños alejados de la casa embrujada. Antes de que cerráramos para la temporada, uno de los trabajadores informó que había estado funcionando mal. No he tenido la oportunidad de revisar y ver cuál es el problema".

"¡NO vamos a saltarnos la casa embrujada!", exigió Ricky.

"Bueno, probablemente no sea para tanto", le dijo el tío Victor a Ricky. "Se lo dejo a la señorita Penny".

"Vamos a entrar en la casa embrujada", declaró Ricky.

Se me puso la piel de gallina con solo pensar en lo aterradora que debe de ser una casa embrujada en *La Isla de los Monstruos*. Quiero decir, ya había tenido suficientes sustos, y todavía no habíamos salido de la mansión de mi tío.

"Los veré a todos por la mañana", dijo el tío Victor, "es decir —*¡si sobreviven!*"

El tío Victor se dio la vuelta y se alejó por un pasillo largo hasta lo que supuse que debía ser su dormitorio.

Seguimos a la señorita Penny afuera. Noté que la tarde estaba en medio del ocaso. Pensé que mi tío era un tipo raro por irse a la cama antes de que la oscuridad hubiera caído.

Una vez más nos amontonamos en el carrito Franken, y la señorita Penny nos llevó de regreso por el camino que conducía al bosque, que nos llevaría de regreso al parque temático.

Esta vez, no tuve que pensar en la casa embrujada para que se me pusiera la piel de gallina. Con el comienzo del anochecer, la temperatura se había enfriado significativamente. Viajando en el carrito Franken, pasamos a las sombras del bosque, y el aire libre me heló.

"*¿Qué es eso?*", preguntó mi hermana.

Dejé que mis ojos siguieran hacia el lado donde Jenny señaló, pude distinguir una forma cerca del suelo a través de los árboles. La forma corría sobre cuatro patas. Al instante, pensé en los aullidos que todos escuchamos antes durante la cena y las galletas.

"¡Es el hombre lobo!" Ricky exultó. "¡Es el hombre lobo que atacó al tío Victor!"

¿El hombre lobo que atacó al tío Victor?

En ese momento creí que era *verdad*. La figura sombría corría a toda velocidad. Ignoró cualquier rama que lo azotara, cualquier arbusto que tuviera que atravesar. La cosa, la criatura, el hombre lobo, lo que fuera, siguió el ritmo junto con nosotros.

"Vaya más rápido", escuché a Rebecca apurar desde el asiento trasero.

El animal no solo mantuvo el ritmo, sino que ahora inclinó su persecución. ¿Estaba planeando cortarnos y bloquear el camino?

"No es un hombre lobo", dijo la señorita Penny, pero al igual que podía decir que el tío Victor había estado fingiendo sus bostezos, puede escuchar el esfuerzo en el tono calmado de la señorita Penny. "Solo es Rufusdini. A veces le gusta perseguir al carrito Franken".

A pesar de decir esto, la señorita Penny presionó con más fuerza el acelerador y el carrito Franken saltó hacia adelante más rápido que nunca.

La figura oscura a un lado hizo todo lo posible por mantener el ritmo, pero ahora nos estábamos alejando.

La figura pasó por un claro pequeño del bosque, y todos la vimos bien. Sin duda, Rufusdini era un perro grande, pero esta cosa parecía mucho más grande y llena de muchos más músculos.

Por un segundo, la criatura giró su cabeza hacia nosotros, y vi lo más aterrador del viaje hasta ese momento en *La Isla de los Monstruos*.

¡Los ojos de la criatura brillaron con un rojo ardiente!

Solo duró un momento y luego el brillo rojizo disminuyó, pero mi hermana gritó en voz alta. En ese momento supe que mi mente no me había estado jugando una mala pasada.

A pesar de que estaba perdiendo la carrera, la criatura continuó saltando e inclinándose hacia nosotros. Cuando saltó del bosque al camino detrás de nosotros, giré la cabeza para ver mejor. Desafortunadamente, las sombras eran demasiado oscuras y la señorita Penny había acelerado el carrito Franken. Nos alejamos con facilidad de la criatura que nos perseguía.

Mientras girábamos alrededor de una curva en el camino, vi que la criatura disminuía la velocidad. Debió darse cuenta de que la oportunidad de atraparnos había pasado. Traté de convencerme de que no era más que Rufusdini, pero lo que sucedió a continuación me convenció completamente de lo contrario.

Asombrado, observé como la criatura parecida a un perro o a un lobo reducía la velocidad a un trote y *se levantaba en dos pies —icomo un hombre!*

En el segundo siguiente, la cosa estaba fuera de la vista.

Continué mirando hacia atrás, solo que ahora concentrándome en mis primos. La cara de Rebecca estaba blanca como una sábana. Los ojos de Ricky se entrecerraron y asintió hacia mí con conocimiento.

Ricky me articuló un nombre en silencio.

El señor Terror.

19 / LAS LUCES DE LA ISLA DE LOS MONSTRUOS

¿EL SEÑOR TERROR? LO PENSÉ POR UN SEGUNDO. ¿HABÍA SIDO *realmente el señor Terror persiguiéndonos?* Esa línea de pensamiento no tenía mucho sentido para mí, porque la señorita Penny nos había dicho antes que el señor Terror trabajaba para el tío Victor. Por otra parte, no había podido ver bien a la criatura, o cosa, o lo que fuera cuando se levantó en dos pies, y tal vez —solo tal vez— Ricky *sí.*

O tal vez la imaginación de Ricky se había apoderado de él. Tal vez, después de las travesuras del ascensor y de la escalera, *toda* nuestra imaginación se había apoderado de nosotros. ¡Simplemente no podía imaginarme que mi tío —o a cualquier miembro de la familia, para el caso— alguna vez pensaría en contratar a un hombre lobo!

Por otro lado, realmente creía haber visto unos ojos rojos brillantes, aunque solo fuera brevemente.

La misma línea de pensamiento debe haber estado dando vueltas en la cabeza de mi hermana también, porque miró a la señorita Penny, que parecía bastante casual, pero seguía acelerando el carrito Franken a un ritmo implacable. Jenny preguntó: "¿De verdad cree que solo era Rufusdini?"

"Oh, sé que lo era", le aseguró la señorita Penny a mi

hermana. "Cuando está afuera vagando, le gusta perseguir cualquier cosa que se mueva".

Todavía no estaba completamente convencido, pero cuanto más lo describió la señorita Penny, más me incliné a creer que nosotros, los jóvenes, habíamos sido culpables de imaginación hiperactiva.

"Si usted lo dice", le comentó Jenny a la señorita Penny. Luego Jenny se giró hacia mí y me susurró: "Jake, ¿qué crees que era?"

Mi hermana y yo siempre nos hemos llevado bastante bien, pero, aun así, siempre ha habido límites con lo mucho que ella o yo estamos dispuestos a ofrecer al otro emocionalmente. Quiero decir, ciertamente no queremos que el otro tenga alguna coartada para burlarse.

Me di cuenta de que Jenny estaba luchando contra el miedo. Apenas conocíamos a la señorita Penny, pero parecía tan amable. Luego pensé en Ricky diciéndome en silencio que había sido el señor Terror. También recordé cómo se veía el ojo de mi tío cuando se levantó el parche, como tenía una cicatriz en forma de estrella. Nos había dicho que un hombre lobo lo había atacado, pero el tío Victor había demostrado ser todo un bromista.

Me encogí de hombros hacia Jenny. Era todo lo que podía ofrecerle honestamente.

Seguimos corriendo por el camino a través del bosque. Detrás de nosotros, las hojas caídas y secas se agitaban con el viento de nuestra estela.

Cuando salimos del bosque, jadeé de asombro.

Sí, estaba emocionado con *La Isla de los Monstruos*. Después de que nuestros padres nos informaron a Jenny y a mí que el tío Victor nos había invitado a pasar la Noche de Brujas en su isla, había habitado en ella. Jenny y yo habíamos pasado horas en línea investigando el parque de atracciones del tío Victor. Las imágenes de todo se veían tan increíbles —la rueda de la fortuna gigante de Frankenstein, las cabinas de los juegos, todas las montañas rusas sinuosas— pero verla en persona y de noche era totalmente increíble.

"Parece que su tío llamó por radio al señor Terror y le dijo que encendiera las luces del parque para ustedes", dijo la señorita Penny.

¡Encendió las luces, era cierto! Todo, y quiero decir *todo*, estaba iluminado. Lejos en la distancia, luces intermitentes rojas y verdes marcaban las pistas de *¡El Aullador!* alto, alto, alto en el cielo. ¿Realmente iba a tener el valor para subirme a esa cosa?

20 / ENTRANDO EN LA MANSIÓN DE LOS MONSTRUOS

Ahora que estábamos fuera del bosque y en el camino pavimentado más ancho del *Parque Temático La Isla de los Monstruos*, la señorita Penny redujo la velocidad del carrito Franken —la redujo a casi un arrastre.

"Todo se ve tan hermoso iluminado así", comentó Rebecca. Ciertamente, la noche no había caído por completo, pero a su manera, el parque realmente me dejó sin aliento momentáneamente. Al instante me olvidé de la figura que nos había perseguido por el camino a través del bosque. En cambio, mi interior se llenó de expectación por tener todo el parque para nosotros en la Noche de Brujas.

"Siendo Noche de Brujas y todo eso", dijo la señorita Penny, "pensé que podríamos comenzar la noche con nuestra versión de una casa embrujada. Vayamos a *La Mansión de los Monstruos*".

La señorita Penny tomó un camino lateral por el que no habíamos estado antes. Directamente frente a nosotros, ahora veíamos una casa de tres pisos bastante deteriorada. Mientras nos acercábamos, el edificio se cernía sobre nosotros. No era tan grande como la casa del tío Victor, pero aun así se elevaba lo suficiente como para bloquear la luna llena.

"¿Ese letrero está escrito con sangre?", preguntó Jenny.
"¡Parece que está escrito con sangre muy vieja!"

Miré hacia el letrero de madera viejo cuando lo pasamos. En efecto, las letras eran rojas. El letrero decía: *¡Bienvenidos a La Mansión de los Monstruos! Entran bajo su propio riesgo. ¡Salgan si tienen la oportunidad!*

"Por supuesto que no es sangre", comentó la señorita Penny. Estacionó el carrito Franken. "Es solo pintura roja, y está muy descolorida. El señor Terror no le pondrá una capa nueva hasta que reabramos el parque la próxima primavera".

La señorita Penny nos condujo por una acera estrecha. A nuestros pies, una niebla verde se deslizaba lentamente por el suelo. Las luces tenues se disparaban desde el suelo. Cada luz había sido colocada cuidadosamente y volteaba hacia una lápida. El jardín pequeño de *La Mansión de los Monstruos* en realidad era un cementerio.

Me incliné para inspeccionar de cerca una de las lápidas inclinadas y leer la inscripción.

Descanse en Paz Eleanor Hawkins: 1908-1920
Víctima del hombre lobo

¡Víctima del hombre lobo!

Pensé en la figura que nos había perseguido por el bosque. Luego pensé en las fechas inscritas en la lápida —1908-1920. Enderezándome, hice un cálculo mental rápido.

Doce años, pensé. *¡Eso significa que Eleanor Hawkins tenía solo doce años cuando fue víctima del hombre lobo! ¡Yo también tengo doce años!*

"No hay necesidad de preocuparse", dijo la señorita Penny, leyendo mi mente. "Todos los marcadores de las lápidas son solo accesorios. Si ves lo suficientemente cerca, notarás que están hechas de plástico. En realidad, no hay ningún cuerpo enterrado aquí, —*al menos no todavía*". Me ofreció una sonrisa juguetona.

Ahora que la señorita Penny lo mencionó, cuando entrecerré los ojos pude ver que las lápidas eran falsas.

"¡Sí, y mira eso!", exclamó mi hermana. Señaló hacia el lado donde pude ver una máquina de humo pequeña. Integradas en la parte inferior de la máquina, las luces LED parpadearon y cambiaron la niebla a todos los colores diferentes. Sabía que era una máquina de humo porque cada Noche de Brujas, mi papá ponía una en nuestro pórtico para hacerlo más aterrador para los que pedían dulces o travesuras.

Como grupo, subimos por el pórtico viejo, cada paso sonaba hueco bajo nuestros pies. A nuestra derecha, crujió una mecedora.

"*¡BUU!*" La figura en sombras de la silla se puso de pie.

Grité.

Mi hermana gritó.

Todos gritamos excepto la señorita Penny. Ella se rio.

"Relájense, niños", dijo la señorita Penny. Levantó su walkie-talkie, "Es solo el señor Terror. Lo llamé antes y le dije que se reuniera aquí con nosotros. Puedo ser su guía en todas las demás atracciones, pero el señor Terror es el único que sabe cómo operar *¡La Mansión de los Monstruos!*"

El señor Terror estaba vestido con overoles sucios. Nos miró desde debajo de las cejas más tupidas que jamás había visto.

"¿Confió en que todos están teniendo un buen tiempo *aullador?*", dijo el señor Terror. Jadeó en busca de aliento y el sudor cubrió su frente como si acabara de terminar una carrera.

"¡Vamos!", respondió Ricky con entusiasmo. Corrió hacia la puerta principal enorme de *La Mansión de los Monstruos* y comenzó a golpearla. "¡Déjanos entrar! ¡Quiero ver algunos monstruos!"

"Si insistes", dijo el señor Terror. Tenía una voz baja y sonaba como si estuviera llena de grava. Junto a la mecedora de la que había saltado para asustarnos, había una cabina de operador. El señor Terror se colocó detrás de ella y jaló de una palanca.

La puerta principal se abrió con un chirrido y todos trastabillamos hacia *La Mansión de los Monstruos*.

21 / APLASTADOS COMO PANQUEQUES

SE ENCENDIÓ UNA LUZ Y ESCUCHÉ LA PUERTA PRINCIPAL cerrarse detrás de nosotros. Me volví hacia la puerta y al instante me di cuenta de que no había manija de este lado. Miré alrededor. Estábamos en una habitación completamente redonda con paredes blancas. Mirando alrededor de la habitación, simplemente no podía creer lo que estaba viendo.

No había ninguna salida.

Todos estábamos en silencio. Incluso la señorita Penny contuvo la respiración con anticipación.

"Uh", murmuró Ricky, sonando un poco nervioso ahora que estábamos dentro como quería tan desesperadamente. "¿Cómo salimos de esta habitación?"

"Honestamente no lo sé", dijo la señorita Penny. "No solo nunca he estado a cargo de esta atracción, sino que tampoco había estado dentro. Sé que se supone que hay algún tipo de carrito en el que podemos subir, pero ciertamente no veo ningún carrito".

Ninguno de nosotros podía ver ningún carrito. Estábamos en una habitación redonda sin salida.

"Quiero decir, nadie debería entrar en pánico", continuó

explicando la señorita Penny. "Todo en esta isla está destinado a ser un poco aterrador, pero en realidad todo es por diversión. Estoy segura de que pronto se abrirá una puerta".

Esperamos en silencio...

...y esperamos...

...y esperamos...

...y esperamos...

Comencé a contar en mi cabeza. Cuando llegué a los cien, comencé a ponerme muy nervioso. ¿Y si nunca se abría una puerta? ¿Cuánto tiempo pasaría antes de que la habitación se quedara sin oxígeno? Esa idea hizo que la habitación pareciera más pequeña de lo que parecía al principio.

"Mi estómago todavía no se siente bien", se quejó Rebecca. "Me estoy asustando y, lo que es peor, creo que me podría estar enfermando".

"¡Oye!", llamó la señorita Penny. Fue hacia donde debería de haber estado la puerta principal y golpeó con fuerza. "Bien, señor Terror, estamos listos para ir a la siguiente parte".

Esperamos aún más en silencio.

"¡Es suficiente!", gritó la señorita Penny. "Vamos, señor Terror, ya se ha divertido, ¡así que ahora abra la puerta que tenga que abrir para que podamos subir a los carritos!"

Todavía nada más que silencio.

"¡Sí, señor Terror!", grité. La amenaza de que quizás nunca saldríamos de la habitación se volvió muy real para mí. "¡Esto no es gracioso! ¡Déjenos salir!"

"En realidad, *realmente* no me siento bien", dijo Rebecca. Pude ver que estaba al borde de las lágrimas.

"Espera un segundo", dijo Jenny. "He visto cosas como esta antes en las películas. Tenemos que tocar por la pared hasta que encontremos un botón secreto o algo así". Jenni comenzó a deslizar ambas palmas por la pared lisa.

"¡Quieres decir como una trampilla o un detonante! Eso tiene sentido", asintió Ricky. Comenzó a buscar con las manos a lo largo de las paredes.

Pronto, todos estábamos imitando a mi hermana. Presioné y empujé, presioné y empujé y, de repente, parte de la pared se hundió.

"¡Lo encontré!", exclamé, pensando que había encontrado el detonante que ahora abriría una salida para nosotros.

Desde arriba, sonó un chasquido fuerte seguido de un zumbido metálico.

Todos miramos hacia arriba y mi corazón se hundió.

Tragué saliva y mi garganta estaba muy, muy seca. No había activado una salida. Había activado algo completamente diferente.

El techo se estaba moviendo hacia abajo. Estábamos atrapados —atrapados como ratas sin forma de liberarnos.

"Oh, vaya", gimió Ricky. "¡Nos va a aplastar como panqueques!"

Ricky tenía razón. El techo estaba bajando para aplastarnos. Por el momento, me quedé paralizado. La voz de mi hermana finalmente rompió mi parálisis. "¡Sigan buscando!", gritó Jenny. "Tiene que haber otro detonante secreto o puerta o algo así. ¡Tiene que haber!" Todos comenzamos a deslizar las manos frenéticamente a lo largo de la pared lisa. El techo continuó bajando lentamente. Tan lentamente, que parecía estar arrastrándose sobre nosotros. Nunca había sudado del miedo tanto como en ese momento. Los gritos de la señorita Penny solo aumentaron mi miedo absoluto. "¡Esto no es gracioso, señor Terror!", chilló la señorita Penny. Golpeó la pared donde debería haber estado la puerta que nos dejó entrar a *La Mansión de los Monstruos*. Si estaba actuando, era el mejor trabajo de actuación que jamás había visto. "¡Déjenos salir, señor Terror! ¡Ya se ha divertido! ¡Estamos atrapados aquí y tiene que dejarnos salir!"

Nada cambió, a pesar de sus súplicas. El techo siguió cayendo. En este punto, podría haber extendido la mano al techo caído y casi rozarlo con las yemas de los dedos.

Entonces la luz falló. La oscuridad completa cayó sobre nosotros.

Una voz incorpórea gritó fuerte, "*¡Bienvenidos al apretón del monstruo!*"

Me moví a lo largo de la puerta, deslizando mis manos ciegamente con la esperanza de activar algo que pudiera detener este escenario loco. Mi mano izquierda se estrelló contra algo y luego escuché a Ricky gritar, "¡Oye, ten cuidado!"

Si no hubiéramos estado en una situación de vida y muerte, Ricky y yo nos habríamos reído de que lo había golpeado en la cara. En cambio, entramos en pánico, tropezamos el uno con el otro y caímos al suelo.

Estando tan oscuro como estaba, no podía ver cuánto había caído el techo, pero sentía que se acercaba a nosotros y se hacía más pequeño con cada segundo que pasaba.

Intenté ponerme de pie, pero mi cabeza golpeó contra algo sólido. El techo había caído tanto que ni siquiera podía pararme completamente derecho.

Desde una posición agachada y con todas mis fuerzas, empujé hacia atrás. Usé todos los músculos de mis brazos, mi espalda y mis piernas. Nunca intente lograr algo con tanta fuerza en mi vida. Sin embargo, cualquier máquina que estuviera presionando el techo sobre nosotros era mucho más fuerte que yo.

No podía ver a mi hermana, ni a mis primos, ni a la señorita Penny, pero sabía que todos se esforzaban por empujar el techo hacia arriba como yo, y aun así el techo se apretaba más y más.

Estamos perdidos, pensé. *Ricky tenía razón. Realmente nos va a aplastar como panqueques.*

23 / PASEANDO EN EL CARRITO DE LA MUERTE

DE REPENTE, LA LUZ SE VOLVIÓ A ENCENDER. Susurrando un agradecimiento, miré con los ojos muy abiertos mientras el techo retrocedía y volvía a subir a un ritmo mucho más rápido de lo que había estado cayendo. Cuando alcanzó su altura original se detuvo.

Ricky aún no se había recuperado de la caída de cuando nos tropezamos. Me agaché y se aferró a mi mano para poder levantarse.

"Eso fue en realidad, realmente aterrador", jadeó.

Solo pude asentir con la cabeza, porque el miedo que había estado recorriendo mi cuerpo me había dejado no solo temblando de nervios, sino también sin palabras. Por un momento, todos nos quedamos en silencio, además de nuestras respiraciones jadeantes.

La única que no parecía asustada era la señorita Penny. De hecho, nos estaba sonriendo enormemente.

"Bastante raro, ¿no?", dijo la señorita Penny. Bailando las cejas conscientemente de arriba a abajo.

Deberíamos haber sabido que todo era parte de la experiencia de *La Mansión de los Monstruos*. Después de todo, ya habíamos aprendido que todo en *La Isla de los Monstruos* estaba destinado a asustarnos de alguna manera —asustarnos, pero no dañarnos realmente.

Mientras miraba alrededor de la habitación redonda, noté que se había abierto una puerta nueva, una puerta que no había estado allí antes.

"Por aquí", dijo la señorita Penny, mientras nos conducía a través de la puerta.

"No sé si puedo hacer esto", se quejó Rebecca. "Mi estómago me está doliendo realmente, y creo que *La Mansión de los Monstruos* podría ser demasiado aterradora para mí".

"No seas tan cobarde, hermana", Ricky se burló. Pensé que esto era un poco hipócrita por parte de Ricky. Después de todo, hace unos momentos él había sido el que había entrado en pánico de ser aplastados como panqueques.

"Con toda honestidad", explicó la señorita Penny con dulzura, "la habitación aplastante probablemente es la peor parte de *La Mansión de los Monstruos*. El resto del tiempo estarás paseando en un carrito de la muerte, y sobre todo verás figuras de cera y escucharás música espeluznante".

"Oye, ¿cómo es que sabe tanto de este lugar si nunca ha estado en él?", preguntó Rebecca. Una pregunta justa en mi opinión.

"Supongo que podría haber mentido un poco", confesó la señorita Penny. "El resto realmente no será tan malo. Durante nuestra temporada, tenemos trabajadores que se disfrazan y saltan sobre ti. Eso no sucederá esta noche ya que todos los trabajadores se han ido de la isla".

La habitación siguiente era oscura y sombría. Había una pista donde esperábamos y un carrito de la muerte se deslizó antes de detenerse con una sacudida.

"Muy bien, ¿quién irá primero?", preguntó la señorita Penny.

"¡Nosotros! ¡Nosotros!", gritó Ricky emocionado. Saltó al carrito, arrastrando a su hermana. Una vez más, se puso su máscara de hombre lobo y aulló.

"No estoy tan segura de esto", gimió Rebecca, pero antes de

que pudiera hacer cualquier movimiento para salir, la barra de seguridad se bajó e hizo clic, asegurándolos en el carrito.

Jenny me empujó con un hombro y susurró: "Me siento mal por Rebecca. Realmente parece que se va a enfermar —o algo peor que enfermar— como si se estuviera *transformando* en algo".

Asentí en silencio, porque pensé que la observación de mi hermana era acertada. Rebecca ya ni siquiera se parecía a sí misma. En realidad, parecía que estaba cambiando, como si de alguna manera, el maquillaje blanco de su rostro se hubiera vuelto permanente.

El carrito de la muerte se sacudió hacia adelante y mis primos se deslizaron hacia la oscuridad. Rebecca nos miró con una mueca llena de miedo. Cuando sus labios se separaron por un segundo, ¡juró que sus colmillos falsos de vampiro se habían vuelto reales!

Sé lo loco que suena, pero realmente no parecían ser los dientes de plástico baratos comprados en una tienda de un dólar.

Pensé en lo que acababa de decir mi hermana —*como si se estuviera transformando en algo.* ¿Era posible que Rebecca realmente se estuviera convirtiendo en vampiro? He visto un par de películas de terror en mi día, y cada vez que una persona se convierte en vampiro, o en fantasma, o en hombre lobo, siempre se presenta como algo doloroso. ¿Era por eso por lo que Rebecca se sentía enferma?

Sin embargo, no tuve mucho tiempo para contemplarlo, porque el carrito de la muerte siguiente salió y se detuvo. La señorita Penny nos ayudó a Jenny y a mí a subir a bordo y luego nos deseó suerte.

La barra de seguridad de metal encajó en su lugar. Miré hacia el camino a donde el carrito de la muerte había llevado a Ricky y a Rebecca. Había un arco revestido de piedra por el que habían pasado y más allá de ese arco miré hacia la oscuridad. Ya podía oír los gritos de Ricky y de Rebecca. Mi labio superior tembló.

"Tal vez solo están tratando de asustarnos", me dijo Jenny.

"Ya sabes, gritando muy fuerte para que suene peor de lo que realmente es".

"Tal vez", estuve de acuerdo, pero la mirada en los ojos de mi hermana me dijo claramente que ni siquiera creía sus propias palabras.

"Los veré en la salida", nos gritó la señorita Penny, mientras nuestro carrito de la muerte avanzaba.

"¿Quiere decir que no va a subirse en el próximo carrito?", le grité.

"¡Oh, no!" respondió la señorita Penny. "De ninguna manera. Estaba bromeando cuando dije que la habitación aplastante era la peor parte. ¡*La Mansión de los Monstruos* es demasiado aterradora para mí!"

Traté de tragar el miedo que subía por mi garganta. Miré hacia arriba justo en el instante en que nuestro carrito de la muerte se deslizó bajo el arco de piedra y hacia la oscuridad profunda, profunda.

"*Bienvenidos a La Mansión de los Monstruos*", una voz incorpórea habló desde algún lugar. "*Mi nombre es Gary el fantasma, y mi destino es ser siempre un guía de la Mansión de los Monstruos. Una vez fui un invitado como ustedes, pero nunca logré salir. Y ahora nunca podré hacerlo*".

Hubo una pausa dramática antes de que la voz continuara.

Fue suficiente para hacerme temblar y preguntarme qué nos esperaba el resto del viaje.

"*La pregunta es —¿alguna vez lo LOGRARÁN?*"

"*AHORA ESTÁN ENTRANDO A LA ZONA DE LOS ZOMBIS*", continuó la voz. Era en realidad espeluznante no saber exactamente de dónde venía esa voz baja y áspera. "*Por favor, mantengan las manos y los pies dentro del carrito en todo momento mientras atravesamos la Zona de los Zombis*". La habitación se iluminó un poco. Jenny y yo estábamos buscando un escenario de otro cementerio. Había estatuas de muertos vivientes de pie en varias poses. Los zombis estaban de cara a nosotros, sus caras retorcidas eran una mezcla de desamparo y hambre.

"Oye, Jake", dijo Jenny, "mira esto". Estiró la mano hacia arriba y detrás de ella. Agarró una caja de metal pequeña que estaba montada allí. La voz de Gary el fantasma se emitía desde los agujeros pequeños en la caja.

"Altavoces", comenté, mientras también estiraba la mano y palpaba el altavoz montado justo encima y a mi lado en el carrito de la muerte. "Genial".

"Sí", dijo Jenny. "Esto no es tan malo. Quiero decir, solo un par de zombis falsos".

"*Si tienen algo de comida, por favor manténganla fuera de la vista*", nos informó la voz de los altavoces. "*Los zombis siempre están buscando algo para comer*".

"¿Me pregunto por qué escuchamos gritar a Ricky?", reflexioné.

"Lo sé", Jenny estuvo de acuerdo. "Actúa muy valiente, pero apuesto a que en el fondo está tan asustado como nosotros".

"Probablemente tengas razón", dije. "Este viaje ha sido aterrador, pero muy divertido al mismo tiempo".

"*También*", continuó Gary el fantasma, "*por favor, absténganse de hablar con los zombis, iya que eso solo los alentará a* **masticar la grasa!** *iJA-JA-JA-JA-JAAAAA!*"

La estatua zombi más cercana se sacudió hacia adelante.

¡Gruñó y se acercó a Jenny y a mí!

De hecho, sus manos se acercaron tanto a nosotros que pude respirar sobre ellas. Jenny y yo jadeamos. El zombi se sacudió y zumbó de regreso en su pista con una eficiencia mecánica.

"¡Apuesto a que eso es lo que hizo gritar a Ricky!", dijo Jenny.

Por supuesto, todo el susto no había sido más que parte del recorrido, así que Jenny y yo nos reímos como hienas.

Aunque no nos reímos por mucho tiempo, porque en el instante siguiente, estábamos gritando una vez más cuando otro zombi mecánico surgió de una tumba falsa excavada. Gruñó amenazadoramente y sus manos se elevaron por encima de su cabeza y se movieron hacia adelante y hacia atrás.

El zombi se tambaleó y volvió al agujero.

El carrito de la muerte avanzó hacia la habitación siguiente.

"*¿Siguen conmigo?*", preguntó la voz de Gary el fantasma. "*¿O mis amigos los zombis los convencieron de quedarse con ellos un tiempo — o debería decir, quedarse para la eternidad?*"

Las habitaciones siguientes fueron aterradoras, pero definitivamente de una manera divertida. La señorita Penny había dicho que era demasiado aterradora para ella, pero estaba empezando a pensar que dijo esas cosas solo para aumentar nuestra anticipación. En el fondo, pensé que quería que nos divirtiéramos, y lo hacíamos.

Fuimos transportados a través de todo tipo de habitaciones decoradas para parecerse a todo tipo de diferentes escenas de terror —un pantano oscuro del que se arrastraban humanoides anfibios con ojos saltones y manos palmeadas; un bosque de hombres lobo con aullidos por todas partes y una luna llena brillante gigante pintada sobre el telón de fondo; una colina de fantasmas, donde las apariciones se disparaban continuamente desde el suelo hasta que el techo alto se las tragaba. En cada habitación, algo saltó hacia nosotros y, a pesar de estar preparados y saber que iba a suceder, Jenny y yo todavía gritamos y luego nos reímos.

"Nuestra última excursión", dijo Gary el fantasma, *"¡es el festín de los vampiros!"*

Avanzamos hacia la habitación más oscura hasta el momento, preparada como comedor con una mesa de madera larga. Una familia —una familia de *vampiros*— estaba sentada en las sillas alrededor de la mesa. Todos llevaban capas negras y el cabello peinado hacia atrás. Más arriba, murciélagos falsos colgando de alambres giraban en círculos continuos sobre las cabezas de los vampiros.

Noté al Padre Vampiro sentado a la cabecera de la mesa. En una mano sostenía una rata chillona. Levantaba la rata hacia su boca continuamente y fingía que le daba un mordisco gigante. Otras ratas mecánicas se escabullían sobre el mantel de la mesa mientras la madre y los dos niños se abalanzaban y las alcanzaban. Todas las bocas estaban abiertas, exponiendo sus colmillos.

Por supuesto, toda la escena era montada y todo era falso. El carrito de la muerte nos llevó más allá de la mesa mientras nuestra voz grabada y guía Gary el fantasma nos advertía: *"Permanezcan en silencio, amigos míos. Esta familia de Vampiros se ha estado alimentando de ratas durante muchas, muchas noches. No se dejen engañar, ya que siempre están buscando su próxima comida".*

Con eso, todas las caras de los vampiros se volvieron y parecieron mirarnos directamente a mi hermana y a mí.

Eso no era nada, y casi me reí entre dientes de lo simple que había sido atravesar esta habitación. Para ser una habitación final, ciertamente no había sido para nada aterradora.

Justo entonces, la tapa de un ataúd que estaba apoyado contra la pared se abrió de golpe.

Una figura estaba de pie en el ataúd —una figura que no era tan alta como un adulto. ¡Pero definitivamente era una persona real!

La voz de Gary el fantasma habló por última vez: "*Espero que hayan sobrevivido a su visita a La Mansión de los Monstruos. Por favor, regresen de nuevo y quédense tooooodo el tiempo que quieran. A algunos les gusta quedarse... ¡PARA SIEMPRE!*"

La figura del ataúd abrió los ojos de golpe.

Jenny y yo estábamos mirando directamente a nuestra prima Rebecca. Sus colmillos habían crecido mucho más que los colmillos falsos que se había puesto antes en la boca. Además, su cara todavía estaba blanca como la tiza, pero ciertamente no parecía ser maquillaje; ¡parecía real! No solo eso, sino que luego se lanzó hacia adelante y siseó en nuestro carrito de la muerte mientras pasábamos.

...*SSSSSSSsssssss*...

Por suerte para Jenny y para mí, el carrito de la muerte nos sacó de la habitación antes de que Rebecca, el Vampiro pudiera alcanzarnos.

"¿Esa era quien creo que era?", preguntó Jenny.

"¡Me temo que sí!", respondí.

Ambos nos dimos la vuelta y miramos hacia atrás. El vampiro que creíamos que era Rebecca estaba debajo del arco por el que acabábamos de pasar.

Dio un paso hacia atrás, mirándonos todavía. Luego hubo una bocanada de humo y luego algo que no podía creer que mis ojos estuvieran viendo.

Pero desafortunadamente, mi hermana debe haber visto exactamente lo mismo, porque Jenny preguntó: "¿Se acaba de transformar en —?"

"Un murciélago", susurré, terminando el pensamiento de mi hermana.

Tan rápido como Rebecca se había convertido en un murciélago, ese mismo murciélago se había alejado volando hacia la oscuridad de *La Mansión de los Monstruos*.

Nuestras ideas locas se confirmaron cuando el carrito de la muerte se detuvo al final del viaje. Jenny y yo nos miramos preocupados mientras bajábamos del carrito de la muerte. Solo una bruja y un hombre lobo nos esperaban —obviamente la señorita Penny y Ricky.

"¿A dónde fue Rebecca?". Pregunté, aunque estaba bastante seguro de que ya sabía la respuesta.

"Sí, Ricky", dijo Jenny. "¿Qué le pasó a tu hermana?"

Me di cuenta de que Jenny estaba tan insegura como yo de escuchar la respuesta.

"¡Pueden creerlo!" Ricky aulló. "¡Rebecca decidió quedarse con la familia de vampiros! Se deslizó justo debajo de la barra de seguridad. ¡A veces es tan tonta!"

Jenny y yo miramos nerviosamente a la señorita Penny.

La señorita Penny se encogió de hombros y nos llevó afuera. Me hice una promesa en ese mismo momento. Jamás volvería a entrar a *La Mansión de los Monstruos* —¡jamás!

25 / NO PODEMOS IRNOS

DE VUELTA AFUERA, ERA REALMENTE DE NOCHE Y EL AIRE SE había vuelto aún más fresco. En la distancia, una luna baja pero llena y brillante colgaba suspendida contra el cielo negro.

"¡Vamos, todos!", llamó Ricky. Se alejó del grupo en una carrera apresurada para llegar al carrito Franken. "¡Vamos directamente a subir a *¡El Aullador!*! ¡No puedo esperar más! ¡Va a ser muy divertido!"

El resto de nosotros aceleramos nuestro ritmo y trotamos. Mientras todos nos amontonamos, Jenny preguntó: "Ricky, ¿no crees que deberíamos estar buscando a tu hermana?"

"De ninguna manera", respondió Ricky. "Ella es la loca que saltó del paseo. Quiero ir a divertirme".

"Ricky", le susurré. "Jenny y yo creemos que la vimos convertirse en un murciélago".

"¡Impresionante!", gritó Ricky. "Mi maestra una vez me dijo que a los murciélagos les gusta comer insectos voladores. ¡Siempre sospeché que mi hermana era una come bichos!"

"Tu hermana no se convirtió en murciélago", explicó la señorita Penny. "Tus primos lo están inventando para asustarte".

"¡No lo estamos inventando!", insistió Jenny. "Es verdad, hubo una bocanada de humo y luego... luego... luego Rebeca se convirtió en un murciélago".

"De acuerdo, tal vez pensaron que vieron a un murciélago", reconoció la señorita Penny. "Pero estoy segura de que fue solo su imaginación lo que les ganó".

"Incluso si fue nuestra imaginación", continuó Jenny con urgencia, "¡No podemos irnos! ¡No podemos dejarla en *La Mansión de los Monstruos!*"

"Ya es suficiente", dijo la señorita Penny, y le lanzó una mirada a mi hermana. "Realmente estás empezando a asustar a tu primo".

"Sí, deja de asustarme", se defendió Ricky. Lanzó su interpretación ridícula de un aullido de hombre lobo antes de añadir: "¡Adelante hacia la noche! ¡Adelante hacia *¡El Aullador!!*"

Mirando a Ricky, pensé que no parecía ni un poco asustado.

Por otra parte, Ricky no podía ver la gran figura sombría detrás de él que se lanzaba a través de la oscuridad hacia nosotros.

"Uh, chicos", dije, mientras se acercaba la figura. "Odio interrumpir, pero —"

"¡No podemos dejar a Rebecca!", demandó Jenny.

La figura oscura corrió hacia adelante. Mi corazón comenzó a latir más rápido, y todo lo que podía pensar era que algún monstruo había escapado de *La Mansión de los Monstruos*. Ese mismo monstruo iba a atraparnos en el segundo siguiente.

"Por favor, pisé el acelerador, señorita Penny", le rogué. "¡Alguien o algo viene a atraparnos!"

Presa del pánico, le grité a la señorita Penny, "¡Vamos! ¡SOLO VAMONOS!"

"Oye", gritó bruscamente la figura. "¿Qué es todo ese ruido?"

"Ven, chicos", se rio la señorita Penny, mientras la figura trotaba hasta su lado, "su imaginación está empezando a ganarles. Es solo el señor Terror".

Ahora que estaba cerca, pude ver que la señorita Penny tenía razón.

"Escuché toda la conmoción", explicó el señor Terror, "y pensé que debería ver si todos estaban bien. Oye, ¿no se suponía que había un cuarto niño?"

"¡Sí!", insistió mi hermana. "¡Es nuestra prima, Rebecca, y se convirtió en un vampiro *de verdad*! ¡Se salió del carrito y se quedó dentro de *La Mansión de los Monstruos*!"

"¿Un vampiro de verdad, dices?" El señor Terror se rascó una mejilla, volviendo su atención a la mansión embrujada. "Eso simplemente no me suena bien. Todo aquí en *La Isla de los Monstruos* es una fantasía, todo por diversión".

"¡Es cierto, señor Terror!", me uní a mi hermana. "Yo también lo vi. No solo es un vampiro real, sino que también se puede convertir en murciélago y volar".

El señor Terror me miró con los ojos entrecerrados. No podía

75

decir si su mirada me estaba cuestionando o acusando directamente de mentir.

"¿Dices que se quedó dentro del paseo?", preguntó el señor Terror. Continuó rascando, bajando por su cuello e incluso hasta su pecho con ambas manos.

"¡Sí! ¡Lo hizo!", respondió Jenny. "No podemos simplemente dejarla ahí".

"Ya sabe cómo es, señor Terror", explicó la señorita Penny. "Los niños se emocionan demasiado todo el tiempo, y lo siguiente que sabes es que quieren ser parte de asustar a los asistentes al parque".

"¡*No* hay otros clientes!", gritó Jenny.

La señorita Penny ignoró a mi hermana y continuó: "Estoy segura de que Rebecca solo está tratando de darnos un susto gratis. ¿Cree que podría ayudarnos para que pueda dejar que estos tres disfruten la siguiente parte de su Noche de Brujas? Más que nada, quiero mantener feliz al señor V., y no estará feliz si pierdo su tiempo".

"Oh, por supuesto", estuvo de acuerdo el señor Terror, todo mientras continuaba rascándose por todas partes. "Entraré y buscaré a la joven. ¿A qué atracción van ahora?"

"A *¡El Aullador!*", exclamó Ricky.

"Oooh, oh-ooh, *¡El Aullador!* Es el mejor paseo en *La Isla de los Monstruos*", dijo el señor Terror. Le sonrió lo suficientemente amigable a Ricky. Luego, dirigiéndose a la señorita Penny, continuó: "Ustedes sigan adelante, y traeré a la niña pronto. Los estaremos esperando cuando bajen de *¡El Aullador!* Solo mantenga la radio encendida, señorita Penny, en caso de que algo cambie".

"¡*Yuuuuppppiiii!*", gritó Ricky

Antes de que mi hermana o yo pudiéramos protestar, la señorita Penny agradeció al señor Terror y luego pisó el acelerador a fondo, por así decirlo. Nos fuimos.

Mientras nos alejábamos del señor Terror, me di la vuelta para dar un último vistazo. Lo que vi me obligó a recordar a la criatura que nos había perseguido antes en el camino a través del bosque.

Ahora estaba realmente nervioso por Rebecca.

Por una fracción de segundo, la verdad es que vi los ojos del señor Terror brillar intensamente rojos en la oscuridad.

27 / SIMPLEMENTE NO ME SIENTO YO MISMO

MIENTRAS CORRÍAMOS, PASANDO JUNTO A UNA VARIEDAD DE puestos de juegos y de comida, el aire frío azotó mi cara. Tuve que agarrar mi sombrero de mago para que no saliera volando. Jenny me dio un codazo. En voz baja, dijo: "Jake, esto no me gusta. Quiero decir, entiendo que el señor Terror dijo que buscaría a Rebecca y la haría unirse a nosotros, pero no sé nada de ese tipo. ¿Notaste algo inusual en él?"

"Entiendo lo que estás diciendo", respondí. "Fue muy raro como se seguía rascando, casi como si tuviera hormigas en los pantalones".

"Sí", asintió Jenny, y puso su cara firme. "No solo eso, ¿pero notaste como la primera vez que lo vimos su cara estaba afeitada, pero cuando lo encontramos por segunda vez su barba había comenzado a crecer?"

Traté de imaginar cómo se veía el rostro del señor Terror cuando nos dejó entrar en *La Mansión de los Monstruos*, pero supongo que no le había prestado tanta atención. Sin embargo, podía recordar la barba incipiente del encuentro que acabábamos de tener con él.

"Cuando nos acabábamos de ir", le dije a Jenny, "me di la vuelta y sé que esto te va a sonar loco, pero, estoy bastante seguro de que sus ojos se pusieron rojos. No solo rojos, sino como un rojo eléctrico".

"Nada de lo que digas sobre este lugar me suena loco. *Sé* que vi a Rebecca como un vampiro real y luego se convirtió en murciélago", me aseguró Jenny. "Pero ¿qué podemos hacer?"

"No lo sé", murmuré. "Creo que por ahora deberíamos subir a *¡El Aullador!* y ver si el señor Terror ha traído a Rebecca cuando bajemos del paseo".

"¿De qué están siendo tan misteriosos ustedes dos?", preguntó la señorita Penny.

"¡Nada!", dijo Jenny, probablemente demasiado rápido porque la señorita Penny la miró con curiosidad.

"Sé que están preocupados por su prima", dijo la señorita Penny, "pero les aseguro que estará en buenas garras con el señor Terror".

¿Garras? Mi mente entró en pánico. Mi boca se abrió con este sorprendente desliz de la señorita Penny.

"Solo estoy bromeando", se rio la señorita Penny. "Vaya, ustedes necesitan tomarse una pastilla para relajarse. El señor Terror traerá a su prima con nosotros en poco tiempo".

Llegamos a una cabeza gigante de hombre lobo con un hocico gruñendo. Los labios del hombre lobo habían sido construidos y pintados de tal manera que estaban retraídos. Esto creaba la ilusión de que la estructura estaba gruñendo realmente con dientes afilados que eran más altos que cualquiera de mis padres. Se había cortado una abertura y un túnel atravesaba la boca del hombre lobo. Aquí era en donde la línea de entrada habría comenzado si hubiera habido otras personas en el parque de diversiones.

Por supuesto que no había otras personas, así que pudimos correr a través del hocico y atravesar las puertas sinuosas de la línea.

Lo admito, estaba tan emocionado de subirme a este juego que, al menos temporalmente, me olvidé de los problemas que podría haber pasado Rebecca.

A diferencia de *¡El Gritón!*, que tenía dos pistas y dos carritos que competían entre sí, *¡El Aullador!* era solo una pista, con múltiples carritos de montaña que se conectaban entre sí como un tren.

"¡Tomemos el carrito delantero!", dijo Ricky emocionado.

Así que ahí es a donde fuimos. Jenny y yo tomamos el asiento delantero y Ricky se tuvo que conformar con el asiento trasero del primer carrito.

"Ooooh", gimió, detrás de Jenny y de mí. Sonaba como si estuviera demasiado asustado de repente.

"No te asustes ahora", le dije. "Tú eres el que ha estado queriendo subir a esta trampa mortal todo el tiempo".

"No es eso", respondió. Vi que se estaba frotando la barriga. "Creo que lo que sea que estaba molestando a Rebecca está empezando a pasarme. ¡Siento que voy a vomitar!"

Eso ciertamente no me sonó bien. Después de todo, estaba sentado directamente detrás de Jenny y de mí. Si vomitara, podía imaginarlo todo volando hacia el asiento delantero y cubriéndonos.

Estaba a punto de gritarle algo a la señorita Penny, pero ya estaba detrás de la cabina del operador y había tirado de una palanca.

La barra de seguridad se cerró rápidamente.

Sin dudarlo, los carritos de la montaña rusa se sacudieron y avanzaron suavemente.

"¡Oiga!", le grité a la señorita Penny. "¿Puede detener esta cosa? Ricky cree que se está enfermando".

"Sí", Jenny estuvo de acuerdo conmigo, "no queremos que vomite sobre nosotros. ¡Arruinará nuestros disfraces!" Jenny comenzó a agitar las manos por encima de su cabeza para llamar la atención de la señorita Penny.

"Así es, chicos", llamó la señorita Penny. Alzó sus propias manos, imitando a mi hermana. "¡Mantengan las manos así todo el tiempo para divertirse de verdad!"

"¡No! ¡Eso no es lo que queremos decir!" Dije, pero los

carritos de la montaña rusa ya se habían alejado de la posición inicial, y estábamos al aire libre.

"*Oooooh, amigo*", gimió Ricky. "Simplemente no me siento yo mismo".

La emoción de estar en *¡El Aullador!* desapareció de Jenny y de mí. Sabíamos, simplemente sabíamos con certeza, que Ricky se iba a poner enfermo sobre nosotros y realmente arruinaría la noche.

Pero estábamos equivocados.

Las cosas estaban a punto de ponerse mucho peor que eso.

28 /UN MAGO, UN HOMBRE LOBO Y UN LAGARTO PASEAN EN ¡EL AULLADOR!

¿RECUERDAS LO NERVIOSO QUE DIJE QUE HABÍA ESTADO AL subir la primera colina de *¡El Gritón!*? Bueno, déjame decirte, subir la primera colina de *¡El Aullador!* fue como mínimo mil veces peor. En primer lugar, el ascenso en *¡El Aullador!* fue mucho más rápido. Una vez que el tren de carritos comenzó a subir hacia el cielo, mi corazón saltó inmediatamente a mi garganta.

En segundo lugar, ahora estaba completamente oscuro y, a pesar de que todo el parque temático había sido encendido e iluminado, inclinado para mirar hacia el cielo, miré directamente al espacio exterior, lo que me dio una sensación de náuseas. Estaba tan oscuro y frío que empecé a sudar.

A esta altura, había tantas cosas que podían salir mal. ¿Y si en el camino hacia abajo los carritos se salían de la pista? ¿Y si parte de la pista se hubiera desprendido y nadie pudiera verla porque estaba muy oscuro?

"Oooooh, esto es simplemente horrible", dije.

"Estoy de acuerdo", contestó Jenny. "Está tan oscuro que ni siquiera puedo ver dónde está la cima de la colina".

Miré a través del parque temático y todas sus luces. Estábamos más alto que cualquier otra cosa —incluso más alto que la rueda de la fortuna Frankenstein, sin embargo, continuamos subiendo más y más y más alto.

"¿Y si esta colina nunca termina?", preguntó mi hermana.

Tragué saliva. Esa idea me atormentó más que pensar en la caída empinada que tomaríamos una vez que rodeáramos el precipicio de la primera colina.

Quiero decir, sabía que lo que Jenny había sugerido era imposible, pero en ese momento, y sin la cima de la colina todavía a la vista, me dio vueltas la cabeza.

¿Qué tan alto podría llegar esta colina? Sabía que estábamos mucho más alto que cualquiera de los árboles. ¿Estábamos más alto de lo que cualquier pájaro se atrevería a volar? ¿Estábamos tan alto como las nubes?

Entonces mi hermana gimió. Me volví hacia ella y tenía la máscara de lagarto sobre su cara.

"No vas a vomitar también, ¿verdad?", le pregunté.

"No estoy segura, Jake", respondió desde detrás de la máscara. "Algo no se siente bien".

Oh vaya, pensé, *no solo mi primo sino también mi hermana va a vomitar sobre mí.*

Justo cuando ese pensamiento pasó por mi mente, los carritos parecieron recuperarse. El carrito delantero comenzó a inclinarse hacia abajo lentamente.

Iniciamos nuestro descenso.

No solo estábamos empezando a descender, sino que también podía sentir que el carrito comenzaba a girar como si la primera colina no solo fuera increíblemente alta y empinada, ¡sino también curvada!

La caída era tan pronunciada que me levanté de mi asiento. Agarré la barra de seguridad con todas mis fuerzas. De repente, cualquier fuerza que había estado sujetando la parte trasera de los carritos fue liberada y disparamos casi directamente hacia abajo.

La sensación de ser lanzados en una curva había sido más que precisa, porque de repente, nos volteamos en un círculo, dando vueltas y vueltas y vueltas y vueltas de cabeza.

El carrito dobló en la parte inferior de la colina y nos empujó de vuelta hacia el cielo nocturno.

"¡YUUUUPPPPIIII!", gritamos los tres.

En la cima de la colina siguiente, el carrito nos ladeó sin apenas desacelerar, y luego volvimos a caer como un yunque.

"¡YUUUUPPPPIIII!"

A continuación, nos encontramos con un círculo que nos tuvo de cabeza momentáneamente. Mi sombrero de mago, que había estado bien ajustado y había permanecido en su lugar hasta este punto, repentinamente fue barrido de mi cabeza.

Otra colina.

Otro círculo.

Una colina.

Un círculo esta vez.

"Yuuupppiii..."

Subiendo otra colina, y así como así, el carrito desaceleró, dándonos un momento de descanso. Me estaba divirtiendo y riendo tanto que me había olvidado de todo —de Rebecca desaparecida e incluso del hecho de que Jenny y Ricky podrían vomitar sobre mí. *La Isla de los Monstruos* del tío Victor era el mejor lugar del mundo.

Un gruñido detrás de mí detuvo esa idea en seco. Me volví a mirar a mi hermana para ver si ella también había escuchado el gruñido, ¡pero Jenny ya no era Jenny!

Te dije antes que se había disfrazado de princesa lagarto —con un traje verde de reptil, una máscara de lagarto de plástico y una diadema pequeña sobre su cabeza para el papel de princesa. Ya no era un disfraz. Ahora estaba sentado junto a un lagarto verdadero del tamaño de mi hermana —¡un lagarto con un vestido rosa brillante! La diadema debe de haber volado, al igual que mi sombrero de mago, pero no había duda de que la criatura a mi lado era verdadera. Tenía los ojos dorados y una lengua delgada seguía saliendo de su boca para saborear el aire. El extremo de la lengua se cortaba en forma bífida.

La criatura se volvió hacia mí y pareció sonreír. Levantó sus garras por encima de su cabeza, y así como así, estaba volando colina abajo con un lagarto gigante y sonriente. ¡Un lagarto que se suponía que era mi hermana!

"¿J... J... J... Jenny?", tartamudeé. El reptil me ignoró, mirando hacia el frente, y continuó disfrutando del viaje.

Entonces se me ocurrió otro pensamiento. Había oído un gruñido. Por lo que yo sabía, los lagartos no gruñían.

El gruñido vino de nuevo, justo por encima de mi hombro.

Por segunda vez, tartamudeé: "¿R... R... R... Ricky?"

Me di vuelta, ya sabiendo lo que iba a haber detrás de mí.

Tenía razón.

Ricky se había transformado en un hombre lobo de la vida real.

Cuando el viaje finalmente terminó y el carrito volvió a la posición original, yo estaba hecho un desastre. La barra de seguridad se desbloqueó y se levantó con un silbido. Inmediatamente salté del asiento.

Tan rápido como yo había sido, Ricky —el hombre lobo recién formado— fue aún más rápido. Antes de que pudiera decir nada, el hombre lobo se acercó y bajó por la rampa de salida. Vi cómo se desvanecía en la oscuridad, corriendo en cuatro patas.

Ese es mi primo corriendo y aullando hacia la noche, pensé.

Mi hermana —Jenny, la princesa lagarto— no estaba tan ansiosa por salir corriendo hacia la noche. En cambio, Jenny, la princesa lagarto, salió del carrito lentamente en cuatro patas. Una cola musculosa se azotaba de un lado a otro detrás de ella. La lengua bífida seguía deslizándose de la boca de la criatura. Había leído en alguna parte que así era como los lagartos se familiarizaban con su entorno.

Esta es mi hermana, pensé.

"Oooooh, ¿qué tenemos aquí?"

Conocía esa voz, pero también parecía un poco extraña, diferente de alguna manera.

Me volví hacia la señorita Penny. Salió de detrás de la cabina del operador.

"¡Una princesita lagarto bonita, puede ser mi mascota nueva!" La señorita Penny se rio entre dientes.

Me quedé boquiabierto. Su transformación fue tan completa como la de Jenny y Ricky. Su piel facial ya no era verde por el maquillaje, era simplemente de un verde enfermizo, pero de alguna manera natural. La peluca de cabello negro que había usado toda la noche ya no era falsa. El cabello era real y estaba fibroso y enmarañado. No había un cordón elástico sujetando la nariz ganchuda en su lugar porque no era necesario.

"¿Por qué me ves así, pequeño?", me preguntó la bruja. Dio un paso hacia adelante y ahora estaba jorobada. *"Las brujas tienen lagartos como mascotas, pero ¿sabes qué hacemos con los niños pequeños?"*

Estaba demasiado asustado como para responder. En ese momento, la única historia que se me ocurrió con una bruja fue *Hansel y Gretel*. Quería correr, pero mis piernas temblorosas me mantuvieron plantado, rehusándose a moverse una pulgada. ¡En *Hansel y Gretel*, la bruja trató de engordar al niño para poder comérselo!

La bruja se acercó más, más, más cerca. Levantó sus manos —manos que en algún momento habían sido de la señorita Penny— y vi que habían envejecido con arrugas. Cada dedo curvado y retorcido en un gancho amenazante.

"Tomamos niños pequeños y..."

En el instante siguiente, todo sobre la bruja cambió ante mis propios ojos. Ese cabello fibroso se convirtió en peluca una vez más. Sus manos se suavizaron y se relajaron. Así de simple, vi el cordón elástico que sostenía la nariz falsa en su lugar.

La señorita Penny, vestida como una bruja, me miraba, y tenía la expresión más confusa en su rostro.

"¿Jake?", dijo la señorita Penny. Inclinó la cabeza de forma interrogante. "¿Cómo terminaron el viaje tan rápido?"

Esto era más que extraño. Era como si no pudiera recordar haber sido una bruja verdadera hace unos segundos. Era como si le hubieran borrado la memoria. Para ponerla a prueba, señalé a mi hermana —la princesa lagarto.

La señorita Penny chilló y saltó hacia atrás. "¿Qué es eso? ¿De dónde vino esa cosa?"

"Señorita Penny", le dije, "estaba planeando comerme".

"¿Qué?", jadeó en voz alta.

"Es verdad", asentí. "De hecho, se convirtió en una bruja verdadera y estaba planeando cocinarme".

"Eso no puede ser verdad", jadeó en voz alta, luciendo honestamente sorprendida y ofendida por mi acusación. "¡Nunca pensaría tal cosa!"

"Lo siento, pero es la verdad", respondí casualmente. "Y este lagarto es lo que queda de mi hermana. Se acaba de perder al pequeño Ricky. Se escapó hacia la noche aullando como un hombre lobo, ¡porque ahora *es* un hombre lobo!"

Tanto la señorita Penny como yo guardamos silencio. Miramos a Jenny, la princesa lagarto.

"Señorita Penny", le supliqué, "sea honesta, por favor, porque amo a mi hermana y a mis primos. ¿Tiene alguna idea de lo que está pasando?"

Vi un destello de reconocimiento en su rostro; también vi algo de culpa.

"¿Dices que Ricky se convirtió en un hombre lobo?", preguntó.

Asentí.

"¿Y antes tu hermana y tú vieron a Rebecca y dijeron honestamente que era un vampiro?"

Asentí de nuevo.

"¿Dices que era una bruja de verdad, pero volví a cambiar?"

Otro asentimiento de mi parte.

"Déjame preguntarte esto, porque eres el único que no ha cambiado", dijo la señorita Penny. "¿De verdad comiste alguna de las galletas de tu tío después de la cena?"

Negué con la cabeza y dije: "No. No estaba mintiendo. Soy

alérgico al chocolate. Solo fingí comerlas. Las escupí y se las di a Rufusdini —ya sabe, el perro del tío Victor".

Los ojos de la señorita Penny se abrieron de par en par con una comprensión intensa. Dijo: "¡Vamos, Jake! Tenemos que ir a salvar a tus primos. Creo que sé exactamente lo que está pasando. ¡Te lo explicaré en el camino!"

"¿Qué hay de mi hermana? No puedo dejar a Jenny, la princesa lagarto aquí".

"No parece peligrosa. También puede venir", dijo la señorita Penny. "Vamos, Jenny. Por aquí, niña. Aquí, Jenny... Jenny... Jenny".

"Es un reptil", dije y me reí. Tan grave como era la situación en cuestión, no pude evitar reírme de la señorita Penny hablándole a mi hermana como si fuera un perro. Miré a mi hermana, la princesa lagarto y le pregunté: "¿Puedes correr, Jenny?"

El reptil inclinó la cabeza hacia mí. La lengua bífida se deslizó hacia afuera y hacia atrás. El lagarto asintió con su cabeza en bloques.

"¡Es una locura!", dijo la señorita Penny. "Pero bien, tenemos que irnos ahora y salvar a tus primos. Jenny, quiero que corras hacia el carrito Franken y te sientes en la parte de atrás.

Jenny, la princesa lagarto, corrió hacia adelante a una velocidad alarmante. Antes de darme cuenta, la señorita Penny y yo estábamos tratando de alcanzarla.

La señorita Penny y yo corrimos hacia el carrito Franken. Jenny, la princesa lagarto, ya estaba acurrucada —nariz con cola— en el asiento trasero. Jenny, la princesa lagarto, abrió la boca grande y bostezo.

De acuerdo, pensé, *si mi hermana realmente está pensando en dormirse, al menos no parecer sentir ningún dolor.*

De nuevo, no pude evitar reírme de ver a mi hermana formada como un reptil real. Quiero decir, podía imaginar las miradas de asombro en las caras de mis padres cuando nos recogieran del aeropuerto de Texas después de que voláramos a casa, y vieran que su hija única ahora era un lagarto. Entonces se me ocurrió un pensamiento nuevo. *¿Y si el piloto no deja que un lagarto gigante suba al avión? ¿Cómo podría llegar a casa Jenny, la princesa lagarto?*

Vaya, realmente esperaba que mi hermana volviera a ser humana. No solo eso, sino que esperaba desesperadamente no convertirme en el mago del que estaba disfrazado.

Espera un segundo, pensé, *si realmente me transformara en un mago real de la forma que mis primos y hermana se habían transformado en representaciones de la vida real de sus disfraces de Noche de brujas, ¿no sería capaz de lanzar un hechizo y revertir todo lo que estaba sucediendo? ¡Quizás en realidad quiera convertirme en un mago de la vida real!*

La señorita Penny pisó el acelerador y el carrito Franken se sacudió rápidamente.

"Tiene que decirme lo que está pasando", le ordené a la señorita Penny.

"Estoy de acuerdo", dijo la señorita Penny, sin mirarme. Mantuvo la vista enfocada en lo que teníamos delante, porque estaba conduciendo el carrito Franken muy, muy rápido. "Va a sonar loco, incluso va a sonar *demente*, pero es la única explicación lógica".

"*¿Qué es?*", exigí.

"Es por las galletas de monstruo que tu tío me hizo servir después de la cena", dijo la señorita Penny.

¿Por las galletas? Cuestioné en mi mente, pero me quedé callado y dispuesto a escuchar a la señorita Penny.

"Sé que tu tío parecía un poco extraño y todo eso", dijo la señorita Penny, "pero realmente es un buen hombre. Honestamente, solo quería ver a sus sobrinos y esperaba que ustedes se divirtieran mucho aquí en *La Isla de los Monstruos*. Debes saber que todos sus sustos son solo para pasar un buen rato. No creo —quiero decir, no puedo creer— que él siquiera sepa lo que está sucediendo.

"¿Qué *está* sucediendo?", le supliqué. Solo quería que la señorita Penny fuera al grano.

"Todo lo está haciendo el señor Terror", dijo la señorita Penny. Justo entonces, un aullido de lobo —un aullido de hombre lobo— se elevó en la noche. Un segundo aullido le respondió. La señorita Penny me miró con preocupación verdadera. Dijo: "¿Escuchaste eso? ¡Ese primer aullido fue tu primo Ricky, y el señor Terror le respondió!"

"¡De ninguna manera!", murmuré.

La señorita Penny dio un jalón al volante. El carrito Franken se precipitó, y así como así, estábamos corriendo por otro camino que aún no habíamos recorrido. Este era un camino de tierra y serpenteaba detrás de todas las atracciones de *La Isla de los Monstruos*.

"No te preocupes", dijo la señorita Penny. "Este es el camino que todos los trabajadores tomamos cuando necesitamos llegar rápido a algún lugar. Pero, de todos modos, antes de que tú tío cerrara el parque este año, se extendió un rumor entre los trabajadores. Un rumor muy serio y grave".

"¿Cuál era el rumor?", pregunté.

"Algunas personas decían que el mecánico nuevo que contrató tu tío para mantener las atracciones en condiciones operativas era un hombre lobo de verdad. Ese hombre es el señor Terror". La señorita Penny guardó silencio por un segundo para dejar que la idea se asentara en mi mente.

No estaba tan sorprendido. El señor Terror me había dado escalofríos desde el primer momento en que lo vi en las sombras.

La señorita Penny continuó explicando: "Algunos de los otros trabajadores desaparecieron. Aunque se creía que habían renunciado o se habían ido antes del final de la temporada, otro rumor más oscuro circulaba —que el hombre lobo, el señor Terror, los había secuestrado".

"¿Secuestrado a los trabajadores?", cuestioné. "¿Por qué haría eso?"

"Bueno, la historia dice que el señor Terror es un hombre lobo solitario. No tiene otros hombres lobo o monstruos con los que pasar el rato, ¡así que creó una fórmula secreta que convierte a la gente en criaturas de verdad!"

"¡Eso es una tontería!", dije.

"¿Lo es?", la señorita Penny me respondió. Luego asintió hacia el asiento trasero como si preguntara —*¿qué tan tonto es que tu hermana ahora sea Jenny, la princesa lagarto?*

Una vez más, condujo el carrito Franken en otra vuelta demasiado rápida. En realidad, sentí que se inclinaba sobre dos ruedas antes de volver a caer.

Delante de nosotros, dos hombres lobo aullaron al unísono, y sonaba como si se hubieran encontrado.

"Admito que suena tonto", admitió la señorita Penny, "y tampoco creí los rumores sobre el señor Terror. Pero ahora, con todo lo que ha sucedido, parece que es la única explicación".

"Cree que el señor Terror puso una mezcla extraña en las galletas", dije. Odiaba admitirlo, pero tenía un poco de sentido.

La señorita Penny asintió antes de decir: "El señor Terror fue el que mezcló la masa de las galletas esta mañana. Piénsalo. Tu escupiste las galletas y eres el único que no ha cambiado ni se ha transformado de verdad en tu disfraz de Noche de Brujas".

"¿Pero por qué solo te convertiste en bruja momentáneamente?", pregunté.

"Si recuerdas, solo comí media galleta", explicó la señorita Penny. "Mi apuesta es que no obtuve lo suficiente de la fórmula especial para cambiarme por completo".

Oh, vaya, pensé. *¡Esta es la historia más loca que probablemente le ha pasado a alguien en toda la historia del mundo!*

Era una locura, pero, de nuevo, todas las piezas del rompecabezas parecían encajar perfectamente como las había explicado la señorita Penny.

"¿A dónde vamos ahora?", pregunté.

La señorita Penny tomó otro giro brusco y, de repente, estábamos corriendo por el camino más estrecho de todos. Los arbustos estaban tan cerca que el carrito Franken los rozó mientras volamos por el camino.

"Más adelante hay un edificio abandonado que tu tío ya no usa para nada", explicó la señorita Penny. "Otra parte del rumor salvaje es que el señor Terror mantenía a sus rehenes enjaulados en este edificio".

Efectivamente, cuando dimos la vuelta en la siguiente curva, vi el edificio bajo de techo plano. Había una bombilla singular iluminando una puerta.

No solo eso, sino que también vi a dos figuras oscuras abrir la puerta principal y entrar.

La señorita Penny también vio las figuras, porque frenó de golpe y el carrito Franken patinó hasta detenerse, arrojando piedras.

"Esos eran hombres lobo", susurró la señorita Penny. "Uno de ellos definitivamente era el señor Terror".

"¿E... e... e... el otro?", tartamudeé, cuestionando.

"Sabes quién era —el pequeño Ricky", dijo la señorita Penny, con naturalidad.

"Oh, Dios mío, tengo miedo", dije.

La señorita Penny me miró. Sus ojos se conectaron con los míos como imanes —su mirada era directa y seria. Ordenó: "Con miedo o no, vamos a entrar ahí para salvar a tus primos y a quien sea que haya encerrado el señor Terror".

Tragué saliva con fuerza, haciendo todo lo posible para tragar todo mi miedo. Miré a mi alrededor. El perímetro del claro pequeño circular consistía en arbustos espesos y árboles altos. El bosque estaba por todas partes. Entonces recordé que estábamos en una isla lejana del Lago Michigan. Si las cosas iban realmente mal aquí, no había nadie que viniera a salvarnos.

A pesar de mi temor, seguí el ejemplo de la señorita Penny y bajé del carrito Franken.

"¿Qué hay de Jenny el lagarto?", pregunté.

La señorita Penny ladeó la cabeza y pareció meditarlo por un momento. Entonces sugirió: "Dejémoslo en sus manos".

Mi hermana —el lagarto— ni siquiera dudó. Bajó y nos siguió mientras nos acercábamos a la puerta solitaria de entrada y salida del edificio.

La señorita Penny estiró la mano con cautela para probar la manija de la puerta. Sin llave, la puerta se abrió cuando la jaló.

Inmediatamente, desde el interior pude escuchar ruidos de monstruos— gruñidos, ladridos y aullidos.

Tratando de estar tan callados como pudimos, nos deslizamos por la puerta, con Jenny el lagarto siendo la última. El interior era aún más oscuro que la noche exterior. Peor aún era el olor. No estaba preparado para el olor a corral que asaltaba mi nariz.

"*¡Qué asco!*", dije en voz alta, y al instante lo lamenté, porque justo entonces se encendieron todas las luces. Ahora podía ver que estábamos en un pasillo intensamente iluminado. Jaulas grandes se alineaban a cada lado del pasillo. Algunas de las jaulas estaban vacías y algunas de las jaulas contenían criaturas —monstruos de todo tipo.

"*Oh, bien*", gruñó una voz desde la distancia. El señor Terror cerró una puerta de metal de golpe y giró una llave, encerrando a otro hombre lobo en una jaula —un hombre lobo pequeño que asumí que era Ricky. El señor Terror nos dio la cara. No podía creer lo diferente que se veía. Su cara estaba llena de pelo y su boca era más bien un hocico. Cuando gruñó —en realidad gruñó como un animal— sus colmillos quedaron expuestos para que todos los vieran. El señor Terror dio un paso adelante mientras dejaba caer su juego de llaves en uno de los bolsillos de su overol. Gruñó y habló: "*Estoy tan contento de que lo lograran. Ahora tendré más amigos para añadir a mi colección*".

"Señor Terror", dijo la señorita Penny con confianza, "¡tiene que dejar libres a todas estas personas —quiero decir, monstruos!"

"¿Dejarlos libres?", preguntó el señor Terror. "Pero son mis amigos. Solo escúchalos a todos". El señor Terror echó la cabeza hacia atrás y lanzó un aullido atronador. Todos los monstruos de las jaulas se pusieron frenéticos y se unieron a él. Cuando terminó el coro espeluznante, el señor Terror continuó acercándose. Estaba tan cerca ahora que podía ver la baba salivando de su hocico.

"¡No!", exigió la señorita Penny. "Sé lo que ha estado haciendo y no está bien. ¡Secuestrar personas y convertirlas en monstruos no es una forma de hacer amigos!"

"No estoy de acuerdo", respondió el señor Terror. Las garras que eran sus manos se abrieron y se cerraron. Sus ojos brillaron rojos. "Mientras siga dándoles mi fórmula secreta de monstruo, siempre serán mis amigos".

"Pero no está bien", supliqué. "Estos monstruos, o personas, o lo que sean, tienen familia y amigos que son humanos. ¡Miré lo que le hizo a mi hermana!", señalé a Jenny, la princesa lagarto.

"Sí, mira lo que le hice a tu hermana", estuvo de acuerdo el señor Terror. "Es perfecta para mi colección. ¿Y sabes qué?"

"¿Qué?", preguntó la señorita Penny.

"Creo que es la última amiga que necesitaré. Eso significa que ni siquiera los necesitaré a ustedes dos". Con una velocidad que no esperaba, el señor Terror se adelantó. Aulló: "No los necesitaré excepto tal vez de — ¡CENA!"

Ahora ni siquiera voy a mentir. Me gustaría decir que estaba dispuesto a mantenerme firme y dar una buena batalla.

No puedo.

Y creo que tú tampoco podrías. ¿Alguna vez has tenido a un hombre lobo cargando directamente hacia ti?

Era millones de veces más aterrador que incluso subirse a *¡El Aullador!*

"¡Corre!", grité. Giré de regreso hacia la puerta, giré la manija y jalé con todas mis fuerzas.

La puerta ni siquiera se movió.

Debe habernos encerrado desde el exterior.

¡La señorita Penny y yo estábamos a punto de convertirnos en una cena de hombres lobo!

Por suerte para la señorita Penny y para mí, Jenny, la princesa lagarto, no estaba tan aterrorizada del señor Terror. Siseando una advertencia, Jenny, la princesa lagarto, pasó corriendo a mi lado y se dirigió directamente hacia el señor Terror. Esto nos dio un poco de tiempo, pero aun así no pude abrir la puerta.

"*¡No!*", gritó la señorita Penny. "*¡Estamos adentro, así que tienes que empujar la puerta para abrirla, genio!*"

Oh vaya, que vergonzoso. Si el momento no hubiera estado tan lleno de terror, mi cara probablemente se habría enrojecido y me habría reído de mí mismo.

Tal como estaban las cosas, la señorita Penny se adelantó y ambos presionamos nuestro peso contra la puerta mientras yo giraba la manija.

Perdimos el equilibrio y nos lanzamos hacia el aire exterior de la noche. Tropezamos, tratando de mantener el equilibrio, pero ambos caímos al suelo.

Miré hacia atrás a través de la puerta abierta por la que acabábamos de caer. El señor Terror se acobardó y se saltó sobre las fauces de Jenny, la princesa lagarto.

En un instante, el señor Terror estaba afuera y se nos acercó a la señorita Penny y a mí.

"Pensaron que se escaparían, ¿eh?", gruñó. "¡Nunca es posible!"

"Señor Terror", suplicó la señorita Penny desde el suelo, "tiene que detener esto. ¿No puede entender lo mal que está todo esto?"

"¿Mal? ¿Qué hay de malo en hacer —y quiero decir HACER — amigos? He estado solo toda mi vida de hombre lobo, y ahora tengo compañeros. Y he hecho más que suficientes amigos. No necesito más".

Sus garras afiladas y peludas se extendieron hacia abajo tanto para la señorita Penny como para mí. Eso era todo.

Seguro que estábamos perdidos.

"*¡ABRACADABRA!*", una voz retumbó por encima del hombro del señor Terror. El señor Terror giró lentamente la cabeza para mirar detrás de él. El señor Terror me había estado asustando, pero ahora era su turno de asustarse. Saltó y se deslizó hacia atrás. "¿Quién eres?", gruñó el señor Terror. Una figura oscura y con capa flotaba aproximadamente a unos quince pies en el aire. La figura ensombrecida llevaba un sombrero negro y en una mano agitaba la varita de un mago.

Supe al instante quién era, incluso antes de que se presentara. Nunca había estado tan feliz de ver a un perro —ah, quiero decir, un mago-perro.

"*¡Soy el Gran Rufusdini!*", gritó la figura desde arriba. Flotó suavemente de un lado a otro. "*¡Soy el mejor mago-perro que jamás haya existido! De hecho, ¡soy el ÚNICO mago-perro que ha existido!*"

No podía creerlo. Aunque tenía sentido. Si las galletas eran lo que había transformado a mis primos y a mi hermana en las criaturas reales de sus disfraces de Noche de Brujas, entonces parecía natural que Rufusdini se haya convertido en un gran mago. Después de todo, era exactamente de lo que lo había disfrazado el tío Victor, y yo le había dado a Rufusdini las galletas que se suponía que debía comer.

"Voy a usar mi magia", explicó Rufusdini, "para convertir a todos de nuevo en sus seres normales".

"*¡NOOOOO!*", el señor Terror echó la cabeza hacia atrás y aulló. "¡Solo quería hacer amigos!"

"¡Y tendrás amigos!", continuó Rufusdini. "¡Porque te enviaré a la Isla del Hombre Lobo Nunca-Nunca-Nunca! Allí, en esa isla, ¡tendrás a todos los hombres lobo con los que pasar el rato que puedas imaginar!"

"¿La Isla del Hombre Lobo Nunca-Nunca-Nunca?", dijo el señor Terror, inclinando la cabeza. "¿Es realmente un lugar? Quiero decir, ¿hay muchos otros hombres lobo allí?"

"Más hombres lobo de los que puedas imaginar", respondió Rufusdini. Y en la Isla del Hombre Lobo, ¡tendrás todo tipo de amigos y golosinas para perros para comer! ¿Estás listo para ir allí?"

"*¡Lo estoy! ¡Lo estoy!*", gritó el señor Terror emocionado. Pareció acordarse de sí mismo y nos miró a la señorita Penny y a mí. "¡Tuvieron suerte esta vez! ¡Pero tengan cuidado con otros monstruos en el mundo!"

"*¡ABRACADABRA!*", gritó Rufusdini. Giró y agitó su varita de mago.

El señor Terror saltó arriba y abajo mientras aplaudía al mismo tiempo.

"*ABRACADABRA, MANTEQUILLA DE MANÍ Y SÁNDWICHES DE GUNKA*", gritó Rufusdini. "*¡CON TODOS MIS PODERES MÁGICOS ENVIÓ AL SEÑOR TERROR A LA ISLA DEL HOMBRE LOBO NUNCA-NUNCA-NUNCA!*"

Rufusdini apuntó con la varita mágica directamente al señor Terror. Un rayo azul de luz eléctrica voló desde la punta de la varita. La luz eléctrica azul se arremolinaba alrededor del señor Terror como una niebla envolvente. Podía verlo a través de esa luz.

El señor Terror se reía. Parecía muy feliz.

La intensidad de la luz creció... brillante... brillante... ¡más brillante! Una bocanada de humo azul.

El humo se disipó en la noche y detrás de él no había nada. El señor Terror se había ido.

Rufusdini flotó hacia el suelo. Usando la varita, tocó suavemente la cabeza de Jenny, el lagarto, y *puff*, Jenny, la princesa lagarto, se convirtió en Jenny mi hermana, vestida como la princesa lagarto.

Regresamos al interior del edificio y Rufusdini usó magia para abrir todas las jaulas. Luego fue hacia cada monstruo y golpeó sus cabezas con su varita. Uno por uno, todos se convirtieron en humanos.

Todos estaban realmente confundidos. Era como había sido con la señorita Penny. Nadie recordaba lo que era ser una criatura, o incluso podía recordar haber sido convertido en una —eso incluía tanto a Rebecca como a Ricky. Lo último que Rebecca podía recordar era estar dentro de *La Mansión de los Monstruos*. Para Ricky, el último recuerdo era estar paseando en *¡El Aullador!*

"¿Quieres decirme que en realidad era un hombre lobo de la vida real?", preguntó Ricky. Su rostro se hundió con tristeza.

"Lo eras", dijo la señorita Penny. Con ternura, agarró y sacudió su barbilla. "Pero no te preocupes, pequeño. No lastimaste a nadie en el proceso".

"No estaba preocupado por *eso*", declaró Ricky. "Simplemente no parece justo. Quiero decir, en realidad me convertí en un hombre lobo, ¿pero no puedo recordarlo!?"

La señorita Penny se rio antes de preguntarnos: "¿Quieren terminar nuestra noche en el parque de diversiones?"

"Creo que ya he tenido suficientes sustos por una noche", respondí.

Todos estuvieron de acuerdo.

Nos amontonamos en el carrito Franken, incluido Rufusdini, y nos dirigimos de nuevo a la mansión del tío Victor. El Gran Rufusdini se sentó entre Rebecca y Ricky en el viaje.

A medio camino de la mansión Ricky gritó: "¡YEEEEEEYYYYY!"

Rebecca gritó.

Me giré para ver, medio esperando ver alguna forma oscura corriendo detrás del carrito Franken y haciéndome gritar de miedo.

En cambio, sonreí.

Sentado entre Rebecca y Ricky estaba Rufusdini el san bernardo.

El Gran Rufusdini se había ido.

La fórmula secreta de las galletas debe haber desaparecido, pensé con una risita.

Increíble.

35 / ALGO ESTABA MAL CON EL SEÑOR TERROR

EL TÍO VICTOR NO PODÍA CREER TODO LO QUE NOS HABÍA pasado durante la noche. Después de que lo despertamos y le contamos la historia, siguió disculpándose una y otra y otra vez. "Debí haber escuchado a todos mis trabajadores", dijo el tío Victor. Tenía la cabeza entre las manos y la movía de un lado a lado. "Todos los demás sabían que algo estaba mal con el señor Terror. No puedo creer que haya puesto a mis sobrinos en tanto peligro. Solo quería que tuvieran la mejor Noche de Brujas jamás aquí en *La Isla de los Monstruos*. ¿Podrán perdonarme alguna vez?"

"Te perdonamos", dijo Ricky por todos nosotros. Todos estuvimos de acuerdo y luego fuimos a darle un gran abrazo grupal al tío Victor.

"Solo prométenos una cosa", dije.

"¿Qué?", preguntó el tío Victor.

"No más trucos esta noche. Estamos cansados y solo queremos dormir un poco".

"No más trucos", prometió el tío Victor.

36 / ¡LA MONTAÑA DE LOS MONSTRUOS!

EL TÍO VICTOR SE SINTIÓ TAN MAL POR TODO EL CALVARIO, que permitió todos los trabajadores que habían dejado de ser monstruos y nosotros tuviéramos el control libre de todo el parque durante los próximos dos días. ¡Incluso se subió a *¡El Aullador!* con nosotros!

"Vaya", dijo el tío Victor, sacudiendo la cabeza cuando bajamos de la montaña rusa. Su cara estaba pálida. "En realidad, nunca había estado en ese juego. Eso es en realidad, realmente aterrador".

"Oye, tío Victor", lo llamó Ricky. "Este lugar es el más genial, pero ¿sabes qué más necesitas?"

"¿Qué?", preguntó el tío Victor.

"Necesitas construir un parque acuático, ya sabes, ¡con una piscina de olas y toneladas de toboganes de agua! ¡Eso sería genial!"

"Es gracioso que digas eso", dijo el tío Victor. Se agachó y le revolvió el pelo a Ricky. "En realidad, estoy construyendo uno donde viven tu hermana y tú".

"¿En Montana?", preguntó Rebecca.

"Sí", dijo el tío Victor con orgullo. "En Montana. Tengo algunas tierras allá en la ladera de la montaña, y la construcción ya está en marcha. Para el próximo verano, tendré *¡La Isla de los*

Monstruos! aquí en Michigan y *¡La Montaña de los Monstruos!* allá en Montana. Quizás sus padres los dejen ser mis invitados una vez más".

¡La Montaña de los Monstruos!

El nombre sonaba genial, y siempre me han encantado los parques acuáticos.

¡La Montaña de los Monstruos!

Sí, definitivamente iba a convencer a mis padres de ir de vacaciones a Montana el próximo verano.

LOS CHISTES FAVORITOS DE
MONSTRUOS DEL AUTOR CLARK
ROBERTS

Chistes de Hombres Lobo

¿Qué comió el hombre lobo después de que le limpiaran los dientes?
¡Al dentista!

¿Cómo le dices a un hombre lobo que no puede decidir qué ponerse?
¡Un lobo qué ponerse!

¿Por qué los hombres lobo no participan en las Olimpiadas?
¡Porque tienen miedo de ganar la medalla de plata!

¿Cómo le dices a un hombre lobo al que le faltan todas las piernas?
Cómo quieras decirle —¡no puede perseguirte!

Chistes de Vampiros

¿Escuchaste que la policía arrestó a dos vampiros?
¡Los arrestaron por dos cargos de robar un banco de sangre!

¿Qué hace un vampiro conduciendo un tractor?
¡Sembrar el miedo!

Un vampiro se separó de su novia después de que le hicieran un análisis de sangre.
¡No era su tipo de sangre!

¿Con qué juega un bebé vampiro?
¡Con glóbulos rojos!

¿Cuál es el colmo de un vampiro?
¡Ninguno, porque los vampiros no tienen colmo, tienen colmillos!

Chistes de Brujas

¿Cómo llamas a una bruja en el desierto?
¡Una bruja de arena!

¿En qué se parecen una bruja y los días de vacaciones?
¡En que los dos se van volando!

¡Mamá, mamá, en la escuela me dicen bruja!
¿Y qué has hecho, hija?
¡Pues nada, agarré mi escoba y me fui!

¿Cómo llamas a una bruja con varicela?
¡Un picor de brujería!

Chistes del Monstruo de Frankenstein

¿Cuál es el juego favorito del monstruo de Frankenstein?
¡El de Puré de Monstruos!

¿A quién llevará al baile escolar el monstruo de Frankenstein?
¡A cualquier anciana que pueda desenterrar!

¿Qué le dijo el Dr. Frankenstein a su asistente?
"¡Oye, ¿puedes echarme una mano!"

¿Por qué el monstruo de Frankenstein odia volar?
¡Porque sus tornillos siempre activan los detectores de metales!

¿A dónde fue el Dr. Frankenstein para hacerse el tatuaje?
¡A Tinta de Monstruos!

¿Tienes algún chiste de monstruos favorito o puedes buscar un par para que te duela el estómago de reírte? Si es así, escríbelos y léeselos a tu familia y amigos.

———

Pregunta del Chiste

Respuesta del Chiste

———

Pregunta del Chiste

Respuesta del Chiste

———

Pregunta del Chiste

Respuesta del Chiste

———

Pregunta del Chiste

Respuesta del Chiste

———

Pregunta del Chiste

Respuesta del Chiste

Querido lector,

Esperamos que hayas disfrutado leyendo *Noche de Brujas en La Isla de los Monstruos*. Tómese un momento para dejar una reseña, incluso si es breve. Tu opinión es importante para nosotros.

Atentamente,

Clark Roberts y el equipo de Next Chapter

Noche De Brujas En La Isla De Los Monstruos
ISBN: 978-4-82410-084-9

Publicado por
Next Chapter
1-60-20 Minami-Otsuka
170-0005 Toshima-Ku, Tokyo
+818035793528

24 Agosto 2021

Lightning Source UK Ltd.
Milton Keynes UK
UKHW012138170921
390772UK00001B/188